GERDDI NADOLIG CYMRU

Hoff Gerddi Nadolig Cymru

Golygwyd gan

Bethan Mair

Argraffiad cyntaf – 2004

ISBN 1 84323 437 8

Dymuna'r cyhoeddwyr gydnabod cymorth Cyngor Llyfrau Cymru.

Argraffwyd yng Nghymru gan
Wasg Gomer, Llandysul, Ceredigion SA44 4JL

Diolch

i bawb a fu o gymorth yn ystod casglu'r cerddi hyn, gan gynnwys Radio Cymru a phawb a ddanfonodd enwebiad atom;

i'r beirdd a'r gweisg am roi caniatâd i ailgyhoeddi'r cerddi i gyd;

i Gyngor Llyfrau Cymru am y llu cymwynasau arferol;

i Aled am oddef canu carolau ym mis Awst!

RHAGAIR

Dyma'r trydydd casgliad o 'hoff gerddi' gan Wasg Gomer, yn dilyn llwyddiant *Hoff Gerddi Cymru* a *Hoff Gerddi Serch Cymru*. Cerddi'n ymwneud â'r cyfnod arbennig hwnnw rhwng dechrau mis Rhagfyr a'r chweched o Ionawr, Gŵyl Ystwyll, sydd o dan sylw yn y casgliad hwn o hoff gerddi Nadolig, gan gynnwys englynion, rhigymau, cerddi digri, carolau a chaneuon, penillion traddodiadol a hen, hen eiriau i ddathlu geni Iesu.

Yn wahanol i gasgliadau hoff gerddi blaenorol, nid yw'r rhain yn nhrefn blaenoriaeth, ond yn hytrach yn nhrefn amseryddol resymegol Stori'r Geni. Cychwynnir yn yr wythnosau a'r dyddiau paratoi a ffrwst gwallgo siopa; gwefr, neu siom, y Noswyl, a disgwyliad enfawr, cyn gorffen gyda pharti nos Galan yn y clwb rygbi – ble arall? Cyfunir cerddi Cristnogol, crefyddol eu naws â cherddi profiad gwag, digalon y Nadolig di-ffydd, ac mae hyn yn awgrym o'r hyn sy'n digwydd drwy'r gyfrol. Yn naturiol, mae'n amhosibl creu casgliad o gerddi Nadolig heb fod y rhan helaethaf ohonynt yn cymryd yr hanes Beiblaidd yn sail iddynt, ond nid yw pob un o'r cerddi'n grefyddol.

Caneuon a charolau yw llawer o'r cerddi a ddewiswyd, ond heblaw am un eithriad, ni chynhwyswyd addasiadau o eiriau o ieithoedd eraill; dyna esbonio pam, er enghraifft, nad yw 'Dawel Nos' yma, nac 'O, Deuwch Ffyddloniaid', dwy garol a enwebwyd gan ambell un. Ond mae geiriau adnabyddus eraill o'r llyfrau emynau yma: yr hen a'r newydd.

Cynhwyswyd cryn nifer o englynion, gan eu bod yn boblogaidd, a chan y gobeithir y caiff y gyfrol hon lawer o ddefnydd gan bobl sy'n chwilio am bethau addas i'w hysgrifennu yn eu cardiau Nadolig – a pha beth gwell nag englyn neu gwpled? Gobeithio hefyd y bydd yma ddigon o gerddi at ddefnydd ysgolion, capeli a chymdeithasau sy'n chwilio am ryw ddarn i'w ddarllen mewn gwasanaeth neu noson gymdeithasol yn ystod Tymor y Gwyliau. Mae'r dewis yn sicr yn cynnwys digon o amrywiaeth i apelio at bawb!

Gobeithio y bydd y gyfrol o ddefnydd: gobeithio hefyd y bydd yn cynnwys sawl hen gyfaill ac ambell ffrind newydd. Ond yn fwy na dim, gobeithio y cewch chwithau, rhwng y cloriau hyn, Nadolig llawen!

Bethan Mair

CYNNWYS

	tud.
'A HWY A GAWSANT Y DYN BACH . . .'	1
Y DYDD BYRRAF	2
Y GWYDDAU	3
NOSWYL NADOLIG	4
Y NADOLIG	5
Y NOS CYN NADOLIG	7
NOSWYL NADOLIG	10
BREUDDWYDION	11
CANOLFANNAU CAROLAU	12
CAERDYDD: NADOLIG 1986	13
NADOLIG YN NULYN	15
NADOLIG Y STRYD FAWR	16
SIOPA 'DOLIG	18
YNG NGWASANAETH CAROLAU'R YSGOL	19
'AR GYFER HEDDIW'R BORE . . .'	21
HEN STORI	22
YMSON MAIR	24
BORE MAIR	25
SEIAT Y STABAL	26
HWIANGERDD MAIR	27
MAIR	28
Y GENI	30
CAROL Y CREFFTWR	31
CERDD AR ENEDIGAETH CRIST	32
AM OESAU HIR	34
YN NYDDIAU'R CESAR	35
RHOWN FOLIANT O'R MWYAF	36
NADOLIG	37
AR GYFER HEDDIW'R BORE	38
BETHLEHEM	39
AWN I FETHLEM	40
BETHLEHEM	41
YN NHAWEL WLAD JWDEA DLOS	42
BETHLEM	44
MAE'R NOS YN OER A DU	45
HENFFYCH ITI, FABAN SANCTAIDD	46
NADOLIG YW	48

tud.

O DAWEL DDINAS BETHLEHEM	49
CAROL	50
CAROL	52
CAROL NADOLIG	53
A WELAIST TI'R DDAU?	54
O DEUED POB CRISTION	55
CANED CLYCHAU	56
'Y BORE HWN'	57
ENGLYN I'W ROI AR GERDYN NADOLIG	58
ETIFEDD BACH JOSEFF A MAIR	59
BALED Y PEDWAR BRENIN	60
Y DOETHION	63
Y DOETHION	64
DILYN Y GOLAU	65
CAROL Y BUGEILIAID	69
OLEUNI NEFOL	71
YR ANGEL	72
ANGEL	73
CAROL Y BLWCH	74
EIRA, THUS A MYRR	75
DRANNOETH YR ŴYL	76
HEN STORI	77
CÂN Y NOSWYL	78
NADOLIG	79
DOS Â FI I'R NOS	80
YR UN NADOLIG HWNNW	82
NADOLIG PWY A ŴYR	83
SONED NADOLIG	84
AR GERDYN NADOLIG	85
AR NOSON FEL HENO	86
SALWCH NADOLIG	87
LIW NOS	88
NADOLIG ERS TALWM	89
PENNILL I'W ROI MEWN CRACER	90
STORI'R GENI 2	91
NADOLIG 1965	92
DRAMA'R NADOLIG	94
LLWYFAN BETHLEM	96

	tud.
CÂN NADOLIG	97
PEN-BLWYDD HAPUS	98
SANTA	99
SIÔN CORN	100
GWLAD Y CARDIAU NADOLIG	101
GWAITH Y NADOLIG	102
WEDI'R ŴYL	103
NADOLIG	104
CÂN HEROD	106
NADOLIG	108
YN NYDDIAU HEROD	109
HOSAN	112
MARWNAD SIÔN CORN	113
PLENTYN SIOMEDIG	114
Y NADOLIG GWAG	115
YR UN NADOLIG HWNNW	116
CAROL NADOLIG	119
CERDYN	120
CAROL PLYGAIN	121
ROEDD YN Y WLAD HONNO	123
Y PLYGAIN	124
CALENNIG	125
CALENNIG I MI, CALENNIG I'R FFON	126
CÂN Y FARI LWYD	127
PARTI NOS CALAN 2000 YN Y CLWB RYGBI	128

Cydnabyddiaeth

Hoffai Gwasg Gomer ddiolch o galon i'r beirdd, y cyhoeddwyr a'r perchenogion hawlfraint a roddodd eu caniatâd i atgynhyrchu cerddi yn y gyfrol hon.

Os tramgwyddwyd ar hawl unrhyw un, yn anfwriadol y gwnaed hynny, ac ymddiheurir am ein bai. Ni lwyddwyd i ganfod perchennog hawl rhai o'r geiriau, ond croesewir unrhyw wybodaeth berthnasol.

'A HWY A GAWSANT Y DYN BACH . . .'

Ni wyddom am ddim rhyfeddach, – Crëwr
Yn crio mewn cadach,
Yn faban heb ei wannach,
Duw yn y byd fel Dyn Bach.

J. EIRIAN DAVIES

Y DYDD BYRRAF

Rhagfyr gwewyr y gaeaf,
Llwydrew a rhew lle bu'r haf;
Wedi i'r haul gylchdroi'r rhod
Daw hirnos lle bu diwrnod;
Rhodia niwl ar hyd y nen
A'r heli gyll yr heulwen.
Ni ddeil y gaeaf ei ddig
A daw eilwaith Nadolig
A'i lawenydd; goleuni
O'r nef a roddir i ni;
Yn nydd byrraf duaf dyn
Y ganwyd i'n fachgennyn.

MONA HUGHES

Y GWYDDAU

Rhagfyr drwy frigau'r coed
Wnâi'r trwst truana' erioed,
Fel tonnau'n torri.

Isod roedd cornel cae,
Ac yno, heb dybio gwae,
Y gwyddau'n pori.

Amlhâi y dail fel plu
Gwaedliw, cymysgliw, du,
Hyd las y ddôl.

Ac yn sŵn a golwg angau
Dehonglais chwedl y cangau
I'r adar ffôl.

'Gan hynny nac arhowch,
Ond ar esgyll llydain ffowch
Cyn dyfod awr
Pan êl y wreigdda â'i nwyddau,
Ymenyn, caws, a gwyddau
I'r Farchnad Fawr!'

Eithr ffei o'r fath gelwyddau!
Gwawdlyd orymdaith gwyddau
Ffurfiwyd mewn trefn.

Ac yna hyrddiau amal
Eu hunfryd grechwen gwamal
Drachefn a thrachefn.

R. WILLIAMS PARRY

NOSWYL NADOLIG

O ble doist ti, werinwr,
Dy glocsiau afrosgo
Yn eco gwag ar hyd y strydoedd,
O ble doist ti?

Pam nad arhosi di
I syllu ar y sêr yn y ffenestri,
I sylwi ar y goleuadau?
Pam na orffwysi di, am ysbaid,
Yn lle llusgo yn dy glocsiau trymion
Heibio inni i gyd?

I ble'r ei di,
Dy lygaid yn dyfrio
A'th anadl fel cwmwl dros d'ysgwydd?
Mae sŵn dy draed yn gwanhau
Ac yn darfod
Heb adael dim
Ond distawrwydd
Rhwng y tai.

O ble doist ti?
I ble'r ei di?
Ai yn ôl i Fethlem?

NESTA WYN JONES

Y NADOLIG

A dyma ni eto ar drothwy'r hen ŵyl ledrithiol
  yn deulu bach y Nadolig, yn glòs ac yn glyd.
Fe enir y Mab drachefn o'r groth ragrithiol
  na bu iddi dderbyn hedyn wrth hedyn ynghyd
wedi'r anwes tynn, ac un hedyn yn ymrithio'n gnawd,
  ond yn hytrach, Duw â dyhead
  Tad, er cenhedlu'r cread,
wedi bwrw ei hedyn ysbrydol mewn morwyn dlawd.

Eisoes addurnasom y goeden a'i gadael liw hwyr
  yn dawnsio gan dinsel amryliw, a'i lliw'n llawenydd
i'r galon hygoelus, a'i brigau, rhwng canhwyllau cŵyr,
  yn glyd yn eu goleuadau, yn un sbloet ysblennydd:
y goeden dan ei thasgiadau â lliwiau ei llond
  fel rhaeadr wedi rhewi'n goferu
  yn llonydd, a'r sêr wedi eu fferru
yn ei disgyn diysgog, ei hymarllwys diorffwys, stond.

Ac mi welaf innau fy hen Nadoligau drwy luwch
  araf eira f'atgofion yn nofio'n ôl,
a chlywaf y clychau'n pendilio'u Nadolig yn uwch,
  a gwelaf y plentyn-gynnau â'r teganau'n ei gôl,
a'r hen barlwr a chwalwyd gan amser mor syber â'r Sul,
  a rhai, nad ŷnt mwyach, yn rhannu
  ei lawenydd cyn i'w dydd ddiflannu
i'r llan lle mae'r gloch ers tro yn ochneidio'i chnul.

Anwylwch, fy mhlant, dan y lindys o lantern, bob eiliad,
  a gwrandewch ar sŵn ceirw Siôn Corn ar yr awel lem.
Myfyriaf innau am Fair yn anwylo'i chynheiliad,
  wedi bwrw'i Chreawdwr o'i chroth ym Methlehem.

Pa fodd y digwyddodd gwyrth? A genhedlwyd y Gair
  yn fawl i blith anifeiliaid,
  ac a goeliai'r llu syn o fugeiliaid,
a blygai uwch yr amhosibl agos, mai Duw oedd mab Mair?

Ond eisoes y mae croes uwch y crud, uwch y rhastl, drawst
  a chynffon yr eidion â'i churiadau fel fflangell, a phlwm
y caglau trwm ar ei blaen. Ar lawenydd a naws
  tridiau'r Nadolig ni thyr yr un croesbren crwm.
Anghofiwn yr un a ddifethwyd am yr un a ddaeth;
  clec y chwip yw crac y craceri,
  a'r celyn fel torch o fieri,
ond pa ots fod Bethlehem Jwdea i Olgotha'n gaeth?

Ai am iddo ymddiried i'w Unig-anedig nyni,
  a marw gydag esgor Mair yn y stabl, y troes
Duw oddi wrth ddynion, fel na chlywodd hyd yn oed y gri,
'Eloi, Eloi, lama sabachthani', y gri ar y groes,
ac na chododd yr un llaw i ddial, ac i'w hatal hwy,
y rhai a staeniau bastynau
â'r genedl a gynlluniwyd i gynnau
y n goelcerth o gyrff noethlymun wedi'r newyn a'r nwy?

Wrth wynebu ansicrwydd y flwyddyn sy'n prysur nesáu,
  rhag cwympo i'r gwacter a'n herys, ac i nos ein difodiad,
cydiwn, uwch y dwnsiwn, yn ein rheffyn o dinsel brau,
  ond ansad yw ein rheffyn o dinsel, ac nid oes ond dyfodiad
y Crist yn creu ystyr mewn byd sydd heb ystyr yn bod.
  Ar ein delw o groth Mair un Nadolig
  y'i ganed wedi'r Ymgnawdoli,
Gan hynny. Boed inni'n un teulu ddathlu ei ddod.

ALAN LLWYD

Y NOS CYN NADOLIG

Y nos cyn Nadolig nid oedd drwy y tŷ
Greadur yn symud, ddim hyd yn oed pry.
Fe gliriwyd y simdde o huddyg yn lân
A hongiai pob hosan yn saff wrth y tân;
Pob plentyn yn cysgu yn dawel a chlyd
A breuddwyd am Santa yn llenwi ei fryd.

Roedd Mam hithau'n cysgu yn esmwyth ers tro
Pan glywais sŵn rhywbeth ymhell uwch y to.

Fe ruthrais i'r ffenest i weled yn well
Beth oedd y sŵn rhyfedd a ddeuai o bell
Fel siffrwd awelon yn dawel drwy goed –
Y sŵn mwyaf hudol a glywais erioed!
Roedd llewyrch y lleuad a'r eira pur, gwyn
Yn troi yr hen ddaear yn newydd a syn.

Ac yno yn uchel, ymhell tua'r de
Wyth carw'n carlamu fel dwn-i-ddim-be'.
A gwyddwn o'r gorau pwy oedd yr hen ŵr
Mewn dillad ysgarlad a'u gyrrai mor siŵr.

Yn gynt nag eryrod gosgeiddig eu llun
Fe ddaethant, ac yntau yn annog pob un:
'Dos, Arthur a Myrddin ac Owain, ar ras!
Dos, Heini a Chadno a Gwyddno a Gwas!
Dos, Gruffydd Llywelyn dros strydoedd a gardd!
Carlamwch! Ehedwch, fy ngheirw chwim hardd!'

Fel dail yn yr hydre sy'n grin ac yn sych
Yn codi ar awel uwch cloddiau a gwrych
Fe gododd y ceirw, pob un fel y gwynt,
A'r gŵr bychan rhadlon yn llywio eu hynt.

Mewn llai nag amrantiad ar eira y to
Fe glywais sŵn carnau ei geirw bach o.

Trois 'nôl at yr aelwyd,
  Wel, choeliech chi byth!
Disgynnodd trwy'r simdde
  Fel hedydd i'w nyth!

Ei farf yn ddisgleirwyn,
  A'i ddillad yn goch,
A thamaid o huddyg
  Ar ganol ei foch.

Llond siop o deganau
  Mewn sach ar ei gefn
Ac yntau ar bigau
  I'w hagor drachefn.

Ei lygaid yn dawnsio yn siriol a mwyn!
Fe daerech fod ganddo geiriosen yn drwyn!

Roedd gwên ar ei wyneb yn mynd ac yn dod
A'i farf yn fwy gloyw na chawod o ôd.

Fe godai cymylau o'i bibell fach wen
Gan gyrlio fel coron o amgylch ei ben.

Edrychai mor hapus a chwarddai mor groch,
Fe grynai ei stumog fel jeli mawr coch!

Ac wrth ei weld yno mor llawen ei lun
Ni allwn i beidio â chwerthin fy hun.

Eisteddodd am eiliad, rhoi anwes i'r gath,
Cyn estyn anrhegion na welais mo'u bath!

Er hyn ni sibrydodd un geiryn o'i geg
Ond llanwodd bob hosan i'r brig, chwarae teg!
Gwnaeth drwyn cyfrinachol a wincio yn slei
Cyn troi tua'r simdde a dringo o'r fei.

Fe neidiodd i'w gerbyd a chydio'n ei ffon
Ac ymaith â'r ceirw yn ysgafn a llon.
Ond clywais o'n galw yn ôl arnaf i,
'Boed hedd y Nadolig am byth efo chi!'

CLEMENT C. MOORE,
ADDASWYD GAN GWYNNE WILLIAMS

NOSWYL NADOLIG

Dileu'r sgrin. Gwagio'r *vino* – i waelod
fy nghalon. Noswylio.
Gwely oer, y drws ar glo,
a neb yn galw heibio.

MEIRION MACINTYRE HUWS

BREUDDWYDION

Ar noswyl Nadolig mae cân yn fy mron
Wrth gerdded y stryd, mor wyn yw fy myd,
Gwireddir breuddwydion ar noswyl fel hon.
Llond ffenest o focsus, yn don ar ôl ton,
Dychymyg yn drên, a bywyd yn wên,
Gwireddir breuddwydion ar noswyl fel hon.

Ar noswyl gormodedd mae cur yn fy mron,
Fy llety yw'r stryd, mor llwm yw fy myd,
Breuddwydiaf freuddwydion ar noswyl fel hon.
Llond ffenest o focsus, cadachau yn don,
A lamp yn y glaw, fel seren uwch law,
Breuddwydiaf freuddwydion ar noswyl fel hon.

R. ARWEL JONES

CANOLFANNAU CAROLAU

Clywch lu'r nef yn crochlefain;
Bethlem yw pob system sain
er yr haf; mae'r ysbryd rhoi
yn tywynnu drwy'r tanoi.
Woolworths sy'n llawn angylion,
'Jingl-bels, jingl-bels' ar drombôn
a'r trêd yn llawn drama'r trics,
Asda yn ddiagnostics.
Dawel nos, dilynwn ni
y twrr at y cownteri;
llwytho wna pawb, llaith yw'n pyls,
'*O, come ye faithful camyls.*'

MYRDDIN AP DAFYDD

CAERDYDD: NADOLIG 1986

Fel hyn roedd hi 'Methlehem:

Sŵn cân a chyfeddach
a chleber y pedleriaid
yn tynnu dŵr o'r dannedd,

yn nofio uwch y dyrfa
sy'n rhuthro a chythru gyda'r lli
o siop i siop,

o dafarn i dafarn
a chwyno a chrio'r plant
yn atsain ym mhen mamau:

ffrae rhwng ffrindiau a chusan hir,
a than lygaid y plismyn
hogia'r wlad yn dyrnu gwario:

i ganol hyn daeth baban,
i dagfa'r ystadegau
a chyfraith a chyfrifiad

a llog a chyflog
a chyfle'n llithro
fel y dyddiau drwy'r dwylo:

i ganol y bwrlwm daeth baban
yn sgrech unig yn sgubor
tosturi rhyw westeiwr,

darn o'r sêr yn y gwellt gwlyb
a gwrid y gwin a'r groes
eisoes yn ei fochau bach:

i fyd yr archfarchnadoedd
daeth i ninnau yn nhyrfau'r nos
siawns i gyffwrdd â'r sêr.

IWAN LLWYD

NADOLIG YN NULYN

Mae'n Nadolig yn Nulyn, a'r sêr ar y stryd,
a ffenestri'r siopa' yn eira i gyd . . .
yr haul ar y Liffey'n creu plentyn mewn crud.
Mae'n Nadolig yn Nulyn o hyd . . .

Mae'n dechrau t'wllu'n gynnar, golau cannwyll ar y bar,
y tân yn llosgi'n isel a'r gwynt yn crymu gwar:
ond mae'r hogia'n taro alaw'n Mother Redcap drwy'r
  prynhawn
a hwyl yr ŵyl yn hawlio'r rhai â'r gwydrau a'r lleisiau llawn.

Mae cariadon yn ffarwelio, a'u dagrau'n gwlychu'r stryd
a sŵn y nos yn gusan hir, yn lleuad llawn o hyd:
fe gwrddwn eto rywbryd pan ddaw'r llong yn ôl i'r lan,
pan fydd roc a rôl carolau a thinsel ym mhob man.

Mae nodau'r ffidil eto'n dawnsio
  rhwng y ceir yn Stephen's Green,
a'r ferch â'r llygaid duon dyfnion
  yn bwrw'r bodhran ar ei glin.

Mae'n Nadolig yn Nulyn, a'r sêr ar y stryd,
a ffenestri'r siopa' yn eira i gyd . . .
yr haul ar y Liffey'n creu plentyn mewn crud.
Mae'n Nadolig yn Nulyn o hyd . . .

IWAN LLWYD

NADOLIG Y STRYD FAWR

Â'r stryd yn rhes o drydan,
yn llawn gŵyl, a'r lliwiau'n gân,
fe ddown ni â'r babi bach
a'i feddwi'n y gyfeddach;
dod ag ef i fyd y gwin,
y nefoedd anghynefin.

Ninnau mwy yn ddoethion mân
yn rhodio at seren drydan,
awn â'r Tad i farchnadoedd
ein gŵyl, a'i watwar ar goedd;
dod â'r nef i'n daear ni,
at aur sydd ar gownteri.

Ready made yw'r stryd i mi,
stryd gyfiawn, lawn eleni
draw i'r to ydyw'r stryd hon
o drimins wedi'u rhwymo'n
y wal, ac am 'nôl eilwaith
i'r un fan am ryw gan gwaith!

Dod a wnaf â'm cerdyn i
i ganol ffair y Geni.
Hwn yw'r un heddiw a red
yn filoedd o fy waled,
ond er gofynion Ionawr,
plastig yw 'Nolig i nawr.

Sŵn clychau o diliau'n dod,
sŵn arian a sŵn Herod
yn iach ei barch uwch y byd;
a minnau yma am ennyd
yn un â'r nos, un â'r neb
sy' rhy brysur i breseb.

Ym mwynhad y dathliadau,
yng nghellwair ffair, nid coffáu
a wnawn ni ei eni O,
ni allwn ni mo'i dwyllo:
gŵyr yr Iôr nad credo'r crud
yw credo'r cardiau credyd.

TUDUR DYLAN JONES

SIOPA 'DOLIG

Yn dinsel a pharseli
law yn llaw awn gyda'r lli,
un abwyd am y cwbwl,
yn un ffair, pob un yn ffŵl,
ar ras i brynu'r presant,
yn chwil yng nghrafange chwant.

Hyn yw nwyd ein 'Dolig ni –
hen growd o bobl *greedy*'n
pwsho a stwffo'n llawn stŵr,
hastu yng ngwres eu mwstwr.

Mae'r '*X*' mewn '*Merry Xmas*'
yn rhwyddhau'n bywydau bas;
sŵn a gwenw'n yw'r geni,
a norm ein dathliade ni.
O'n cof yr aeth y Cyfiawn;
nid yw'r Crist ar ein list lawn.

NIA EVANS

YNG NGWASANAETH CAROLAU'R YSGOL

(Eglwys Rhiwabon, Nadolig 1970)

(I Mrs Lottie Williams Parry)

Daethom
yn anffyddlon,
a heb orfoledd ynom
i'r eglwys oer,
lle'r oedd paderau'n
barugo ar drawstiau,
a phregethau'r Suliau sâl
yn rhewi ar y waliau swrth.
Daethom yn aflawen
i foli
mewn man
lle clowyd ffrydiau'r mawl
mewn iâ.

Yn sydyn,
disgleiriodd y gân
yn felyn fel haul,
y nodau'n llathru fel pelydrau
o allor i gangell,
a'r cordiau'n chwyddo,
yn crynu,
ac yn disgyn
fel gwres tynerwch meiriol
ar heth y galon.
Llewyrchodd y lleisiau
yn nhes y gerdd,
a thywynnodd y stori hen
yng ngolau'r carolau gwyn.

Ninnau,
    wedyn,
a droesom i'r nos,
wedi bod
    am ennyd
yn ffyddlon orfoleddu.

BRYAN MARTIN DAVIES

'AR GYFER HEDDIW'R BORE . . .'

'Ar gyfer heddiw'r bore'n faban bach . . .'
Côr anaeddfed bechgyn safon pedwar
yn ddisgord wrth ddechrau ymarfer –
yn llusgo'r nodau
ac yn taro ambell un
na chlywyd ei debyg o'r blaen.

Dafydd yn trio'i orau glas,
Aled yn cuddio yn y cefn,
        unigolyn y parti;
Keith yn hunan-ymwybodol,
Dylan Aron yn canu nerth ei ben
    fel pe bai yno.

Richard yn gweld hiwmor yn yr ymdrech,
Arwel o ddifrif a Ben yn ystyrlon.
Paul y dysgwr yn ymdrechu.

Ac o rywle clywaf harmoni uwch
yn cynganeddu y tu hwnt i ffenestr stêm
yr ymarfer;
a sibrydir yn ddistaw
mai da ydyw,
a chymeradwy i glust y Baban.

ALED LEWIS EVANS

HEN STORI

Er gwaetha'r byd, mae hi'n hen, hen stori:
  Tiwn gron sy'n cyniwair trwy'r greadigaeth faith;
Y stori am griw o fugeiliaid rhynllyd
  Yn gwrando ar eu defaid ryw hen noson laith.

Roedd Duwdod ar fin dod i'r byd mewn stabal,
  A'i fam yn ei hartaith ar dipyn o wely gwair;
Pan ddaeth o, fe'i rhwymwyd yn dynn mewn cadachau,
  A'i roi yn y mansiar wnaeth y wyrthiol Fair.

Roedd angylion Iddewig yn ymuno'n y dathlu,
  Gan fflio'n sgwadronnau yn entrych nen,
A chlamp o seren fawr ar eu hadenydd,
  I'w lansio i derfysg yr awyr uwchben.

Rhoddodd un angel waedd o berfeddion y ffurfafen,
  Gan fethu dal, heb ddweud y newydd mawr,
A phwy oedd yn clywed, ond y bugeiliaid
  A ddychrynodd drwy'u crwyn a chwympo ar y llawr.

A draw yn y dwyrain, dyma'r doethion yn sbïo
  I gyfri'r sêr yn y rhan honno o'r byd;
A dyma nhw'n sylwi ar un oedd yn symud,
  A'i dilyn nes dod at stabal y baban mud.

A 'welodd y byd 'rioed rotsiwn bresantau:
  Aur, thus a myrr rownd pen y babi gwyn,
A Mair yn ofni iddo fo gael ei sbwylio
  Cyn ffoi i'r diffeithwch dros bob dôl a bryn.

A 'wnaeth y babi dyfu i fyny i fod yn Waredwr
  Ac yn Rhosyn Saron ac yn Oen Duw,
I ddangos i bobol sut i fyw mewn cariad
  Yn lle rhyw hen gecru bob munud byw.

Ac er ei bod yn stori ryfedd i'w choelio,
  Ac yn corddi'n y meddwl fel rhyw hen diwn gron,
Mae'r byd o hyd yn barod i gymryd Gwaredwr,
  A fuo fo 'rioed yn aeddfetach na'r ennyd hon.

T. GLYNNE DAVIES

YMSON MAIR

Heno datgelwyd i minnau paham
Y mae pen y bryniau
Oll yn oll yn llawenhau, –
Mae'r achos yn fy mreichiau.

T. ARFON WILLIAMS

BORE MAIR

Mae'n gwawrio'n araf, a'r awel lem
Yn treiddio i bobman ym Methlehem;
Y stabal dawel er hyn yn glyd
A naws y moliant o'i mewn o hyd.
Cwsg, ein hanwylyd, ein trysor ni,
Si lwli lwli, si lwli li.

Rhyw ddydd, adroddaf i'm bychan llon
Holl hanes gwyrthiol y noson hon;
Y doethion deithiodd, cân engyl Ne',
A'r llu bugeiliaid yn llenwi'r lle.
Cwsg, ein hanwylyd, ein trysor ni,
Si lwli lwli, si lwli li.

Wedi eu myned daeth cwsg yn nes;
Tra gwyliai Joseff breuddwydio wnes:
Roedd drain dros wely fy mebyn tlws,
Ond cân gorfoledd oedd ger y drws.
Cwsg, ein hanwylyd, ein trysor ni,
Si lwli lwli, si lwli li.

Bu'n hyfryd deffro, a gweld dy drem
O wair y preseb ym Methlehem;
Ond cwsg – er dyfod y wawr ar daen,
Mae taith helbulus drachefn o'th flaen.
Cwsg, ein hanwylyd, ein trysor ni,
Si lwli lwli, si lwli li.

DAFYDD OWEN

SEIAT Y STABAL

'Wyt ti'n iawn, Mair?

Mae rhyw fodlonrwydd
yn dy lygad mamol
a gwefr y geni
yn dal i ddal ei afael
ar dy wyneb balch.

Mae'r bychan yn cysgu
yn angylaidd
ac yn llond ei groen.

Beth ddaw ohono?
Dilyn yn ôl troed ei dad?'

'Gad im gysgu blwc, Joseff.
Mi ddweda' i'r cyfan
wrthot ti wedyn.'

DAFYDD ISLWYN

HWIANGERDD MAIR

Suai'r gwynt, suai'r gwynt
    wrth fyned heibio'r drws;
a Mair ar ei gwely gwair
    wyliai ei baban tlws:
syllai yn ddwys yn ei wyneb llon,
gwasgai Waredwr y byd at ei bron,
    canai ddiddanol gân:
        'Cwsg, cwsg, f'anwylyd bach,
        cwsg nes daw'r bore iach,
        cwsg, cwsg, cwsg.

'Cwsg am dro, cwsg am dro
    cyn daw'r bugeiliaid hyn;
a dod, dod i seinio clod,
    wele mae'r doethion syn:
cwsg cyn daw Herod â'i gledd ar ei glun,
cwsg, fe gei ddigon o fod ar ddi-hun,
    cwsg cyn daw'r groes i'th ran:
        cwsg, cwsg, f'anwylyd bach,
        cwsg nes daw'r bore iach,
        cwsg, cwsg, cwsg'.

NANTLAIS

MAIR

Hi yw'r un sy ar grwydr unig
drwy fyd oer y dyrfa a dig
haid fandaliaid y 'Dolig:

ym merw y cwsmeriaid
hi ddaw â'i baich yn ddi-baid
i ddrws siop yn ddyrys sypiaid:

mae unigrwydd ar adeg y 'Dolig
fel carreg mewn esgid,
yn wayw na ŵyr neb arall amdano:

wrth hercian rhwng silffoedd yr archfarchnad
a'r babi'n sgrechian
mae pob cam yn gricymala

o boen a blinder,
a thwrw'r cythru a'r gwerthu
yn adleisio'r gwacter,

fel sŵn sodlau stiletto
ar risiau haearn yr allanfa dân:
i gyfeiliant Perry Como a chlychau synthetig

dawnsia'r troliau drwy'i gilydd:
wnaeth hi 'rioed daro'r mab o'r blaen,
ei ysgwyd a'i ddyrnu yng nghanol yr alé:

tagu ei ebychiadau â chledrau ei dicter:
curo'r crio nes i'r miwsig stopio:
chwalai wyneb mud y baban brysurdeb y siop:

dan y sêr plastig, plastig,
a'r angylion electronig
y mae hi yn chwarae mig

â Herod, gan wybod bod ei baban
yn dweud mwy â chardod mân
un gair na llond ceg o arian.

IWAN LLWYD

Y GENI

Mor ddieithr, coeliaf i, fuasai i Fair
  A Joseff ein hanesion disglair ni
Am gôr angylion ac am seren, am dair
  Anrheg y doethion dan ei phelydr hi.
Ni bu ond geni dyn bach, a breintio'r byd
  I sefyll dan ei draed, a geni'r gwynt
Drachefn yn anadl iddo, a'r nos yn grud,
  A dydd yn gae i'w gampau a heol i'w hynt.
Dim mwy na phopeth deuddyn – onid oes
  I bryder sanctaidd ryw ymglywed siŵr,
A hwythau, heb ddyfalu am ffordd y Groes,
  Yn rhag-amgyffred tosturiaethau'r Gŵr,
A'u cipio ysbaid i'r llawenydd glân
Tu hwnt i ardderchowgrwydd chwedl a chân.

WALDO WILLIAMS

CAROL Y CREFFTWR

Mewn beudy llwm eisteddai Mair
ac Iesu ar ei wely gwair;
am hynny, famau'r byd, yn llon
cenwch i fab a sugnodd fron.

Grochenydd, eilia gerdd ddi-fai
am un roes fywyd ym mhob clai;
caned dy dröell glod i Dduw
am un a droes bob marw yn fyw.

Caned y saer glodforus gainc
wrth drin ei fyrddau ar ei fainc;
molianned cŷn ac ebill Dduw
am un a droes bob marw yn fyw.

A chwithau'r gofaint, eiliwch gân,
caned yr eingion ddur a'r tân;
caned morthwylion glod i Dduw
am un a droes bob marw yn fyw.

Tithau, y gwehydd, wrth dy wŷdd,
cân fel y tefli'r wennol rydd;
caned carthenni glod i Dduw
am un a droes bob marw yn fyw.

Llunied y turniwr gerdd yn glau
wrth drin y masarn â'i aing gau;
begwn a throedlath, molwch Dduw
am un a droes bob marw yn fyw.

Minnau a ganaf gyda chwi
i'r Iddew gynt a'm carodd i;
caned y crefftwyr oll i Dduw
am Iesu a droes bob marw yn fyw.

IORWERTH C. PEATE

CERDD AR ENEDIGAETH CRIST

Mab a'n rhodded,
Mab mad aned dan ei freiniau,
Mab gogoned,
Mab i'n gwared, y mab gorau,
Mab fam forwyn
Grefydd addfwyn, aeddfed eiriau,
Heb gnawdol Dad
Hwn yw'r Mab rhad, rhoddiad rhadau . . .
Cawr mawr bychan,
Cryf, cadarn, gwan, gwynion ruddiau;
Cyfoethog, tlawd,
A'n Tad a'n Brawd, awdur brodiau.
Iesu yw hwn
A erbyniwn yn ben rhiau.
Uchel, isel,
Emanuel, mêl meddyliau . . .
Pali ni fyn,
Nid urael gwyn ei gynhiniau.
Yn lle syndal
Ynghylch ei wâl gwelid carpiau . . .
Ei leferydd
Wrth fugelydd, gwylwyr ffaldau.
Engyl yd fydd,
A nos fal dydd dyfu'n olau.
Yna y traethwyd
Ac y coeliwyd coelfain chwedlau,
Geni Dofydd
Yng nghaer Ddafydd yn ddiamau . . .
Nos Nadolig,
Nos annhebyg i ddrygnosau,
Nos lawenydd
I lu bedydd, byddwn ninnau.

Bendigaid fyg
Yw'r Nadolig deilwng wleddau,
Pan aned Mab,
Arglwydd pob Pab, pob peth piau,
O Arglwyddes
A wna in lles, a'n lludd poenau,
Ac a'n gwna lle
Yn nhecaf bre yng ngobrwyau.

MADOG AP GWALLTER

AM OESAU HIR

Am oesau hir, yn llesg a gwan,
Hiraethai'r saint am Grist, eu rhan;
Pa bryd y daw, pa bryd y daw,
Â'i gadarn law i'n dwyn i'r lan?

Drwy gaddug tew y dywyll nos
Y doethion aent dros fryn a rhos;
A'r seren wen, a'r seren wen
A aeth uwchben Effrata dlos.

Mewn llety llwyd, mewn preseb tlawd,
Y dwyfol Fab ddaeth inni'n Frawd;
I gadw dyn, i gadw dyn
Daeth Duw ei hun i fyw mewn cnawd.

Cwyd, cwyd dy ben, bechadur gwael,
Mae gwaredigaeth heddiw i'w chael;
Fe anwyd Crist, fe anwyd Crist,
I'r enaid trist yn Geidwad hael.

Wel dyma'r dydd, dewch fawr a mân,
Rhowch glod i Dduw mewn newydd gân;
Hosanna mwy, Hosanna mwy;
Daeth bywyd drwy yr Iesu glân.

HEN GAROL

YN NYDDIAU'R CESAR

Yn nyddiau'r Cesar a dwthwn cyfrif y deiliaid
    Canwyd awdl oedd yn dywyll i'w nerth naïf.
Ym Methlehem Effrata darganfu twr bugeiliaid
    Y gerddoriaeth fawr sy tu hwnt i'w reswm a'i rif.
Y rhai a adawai'r namyn un pump ugain
    Er mwyn y gyfrgoll ddiollwng – clir ar eu clyw
Daeth cynghanedd y dydd cyn dyfod y plygain
    Am eni bugail dynion, am eni Oen Duw.
Rai bychain, a'm cenedl fechan, oni ddyfalwch
    Y rhin o'ch mewn, nas dwg un Cesar i'w drefn?
Ac oni ddaw'r Cyrchwr atom ni i'r anialwch,
    Oni ddaw'r Casglwr sydd yn ein geni ni drachefn,
A'n huno o'n mewn yn gân uwchlaw Bethlehem dref?
Ein chwilio ni'n eiriau i'w awdl mae Pencerdd Nef.

WALDO WILLIAMS

RHOWN FOLIANT O'R MWYAF

Rhown foliant o'r mwyaf
i Dduw y Goruchaf
am roi'i Fab anwylaf
  yn blentyn i Fair,
i gymryd ein natur
a'n dyled a'n dolur
i'n gwared o'n gwewyr anniwair.

Fe gymerth ein natur,
fe'n gwnaeth iddo'n frodyr,
fe ddygodd ein dolur
  gan oddef yn dost;
fe wnaeth heddwch rhyngom
a'i Dad a ddigiasom,
fe lwyr dalodd drosom y fawrgost.

Fe'n gwnaeth ni, blant dynion,
yn ferched, yn feibion,
i'w Dad yn 'tifeddion
  o'r deyrnas sydd fry,
i fyw yn ei feddiant
mewn nefol ogoniant
er mawrglod a moliant i'r Iesu.

Gwahoddwch y tlodion
a'r clwyfus a'r cleifion
a'r gweiniaid a'r gweddwon
  â chroeso i'ch gwledd;
o barch i'r Mesïas
a'n dwg ni i'w deyrnas
i gadw gŵyl addas heb ddiwedd.

RHYS PRICHARD

NADOLIG

Cofia'r gân, cofia'r geni, – cofia Dduw,
    Cofia ddyn lle byddi,
  Ac wrth gofio dyro di
  Yn haelionus eleni.

TOMI EVANS

AR GYFER HEDDIW'R BORE

Ar gyfer heddiw'r bore
 'n faban bach
y ganwyd gwreiddyn Jesse
 'n faban bach;
y Cadarn ddaeth o Bosra,
Y Deddfwr gynt ar Seina,
yr Iawn gaed ar Galfaria
 'n faban bach
yn sugno bron Marïa
 'n faban bach.

Caed bywiol ddŵr Eseciel
 ar lin Mair
a gwir Feseia Daniel
 ar lin Mair;
caed bachgen doeth Eseia,
'r addewid roed i Adda,
yr Alffa a'r Omega
 ar lin Mair
mewn côr ym Methlem Jwda,
 ar lin Mair.

Am hyn, bechadur, brysia
 fel yr wyt,
ymofyn am y noddfa
 fel yr wyt;
i ti'r agorwyd ffynnon
a ylch dy glwyfau duon
fel eira gwyn yn Salmon
 fel yr wyt,
gan hynny tyrd yn brydlon
 fel yr wyt.

EOS IÂL

BETHLEHEM

Fe wawriodd dydd uwch Bethlem dref
Pan oedd angylion ag un llef
Yn seinio moliant pêr ynghyd
Am eni Ceidwad mawr y byd.

Ni wyddai gwraig wrth gynnau tân
Na fu erioed bereiddiach cân.
Ni wyddai gŵr wrth droi i'w waith,
Ni wyddai'r hen na'r plant ychwaith.

Ni wyddai'r llon, ni wyddai'r prudd,
Mai hwn oedd y rhyfeddol ddydd
Pan roes bugeiliaid ar eu hynt
Anfarwol gân ar flaen y gwynt.

Ni wyddai mawrion balch eu trem,
Ni wyddai'r tlawd fod 'Bethlehem'
Yn enw nad âi'n angof mwy
Ar fôr na thir – ni wyddent hwy.

T. ROWLAND HUGHES

AWN I FETHLEM

Awn i Fethlem, bawb dan ganu,
neidio, dawnsio a difyrru,
i gael gweld ein Prynwr c'redig
aned heddiw, Ddydd Nadolig.

Ni gawn seren i'n goleuo
ac yn serchog i'n cyf'rwyddo
nes y dyco hon ni'n gymwys
i'r lle santaidd lle mae'n gorffwys.

Mae'r bugeiliaid wedi blaenu
tua Bethlem dan lonyddu,
i gael gweld y grasol Frenin;
ceisiwn ninnau bawb eu dilyn.

Mae'r angylion yn llawenu,
mae'r ffurfafen yn tywynnu,
mae llu'r nef yn canu hymnau,
caned dynion rywbeth hwythau.

Awn i Fethlem i gael gweled
y rhyfeddod mwya' wnaethped,
gwneuthur Duw yn ddyn naturiol
i gael marw dros ei bobol.

RHYS PRICHARD

BETHLEHEM

Ewch yn llawen, ewch â'ch doniau
Unwaith eto i Fethlem dref,
Gwelwch Faban mewn cadachau,
Iesu ydyw, D'wysog nef.

Cenwch yno blant y gwledydd
Am Un bychan yn y gwair;
Er ei wrthod gan aelwydydd
Croeso gafodd ar lin Mair.

Rhowch eich dagrau, famau tirion,
Dros y Ceidwad gwan ei wedd;
O mor oer y byd a'i roddion –
Coron ddrain, a chroes, a bedd.

Gyfaill, a ddoi dithau heno
I gyfrannu o olud Duw?
Deil yr hen addewid eto
Fod y Baban yma'n fyw.

J. ARWYN PHILLIPS

YN NHAWEL WLAD JWDEA DLOS

Yn nhawel wlad Jwdea dlos
yr oedd bugeiliaid glân
yn aros yn y maes liw nos
i wylio'u defaid mân:
proffwydol gerddi Seion gu
gydganent ar y llawr
i ysgafnhau y gyfnos ddu,
gan ddisgwyl toriad gwawr.

Ar amnaid o'r uchelder fry
dynesai angel gwyn,
a safai 'nghanol golau gylch
o flaen eu llygaid syn:
dywedai, 'Dwyn newyddion da
yr wyf, i ddynol-ryw;
fe anwyd i chwi Geidwad rhad,
sef Crist yr Arglwydd Dduw.'

Ac ebrwydd unai nefol lu
mewn hyfryd gytgan bêr
nes seiniai moliant ar bob tu
o'r ddaear hyd y sêr:
'Gogoniant yn y nefoedd fry
i Dduw'r goruchaf Un,
tangnefedd ar y ddaear ddu,
ewyllys da i ddyn.'

Rhoed newydd dant yn nhelyn nef
pan anwyd Iesu Grist,
a thelyn aur o lawen dôn
yn llaw pechadur trist:

telynau'r nef sy'n canu nawr,
'Ewyllys da i ddyn,'
a chaned holl delynau'r llawr
ogoniant Duw'n gytûn.

ELIS WYN O WYRFAI

BETHLEM

Yn nythu yng nghalonnau pawb
Y mae Bethlem.
Llun bach o'r noson honno
Pan orweddai hen dref orlawn i orffwys,
Ac o dan ei chronglwyd, lu o ddieithriaid.

Noson serog, ddi-gwsg
Oherwydd, yn yr oriau mân,
Clywid rhywrai yn rhedeg
O gyfeiriad Tŵr y Bugeiliaid[1]
Gan weiddi rhywbeth am glywed canu . . .

Ymhlyg yng nghalonnau pawb
Ceir rhyfeddod y noson honno
Yn llonydd, effro
Dan lewyrch seren.

Noson geni Perffeithrwydd.

NESTA WYN JONES

[1] Midga Eder – tŵr gwylio'r diadelloedd, lle cedwid yr ŵyn ar gyfer eu hoffrymu yn Jerwsalem.

MAE'R NOS YN OER A DU

Mae'r nos yn oer a du,
  A rhua'r gwynt drwy'r Tŷ,
Lle ceir ar lawr, a'i lygaid mawr,
  Y Maban bychan cu,
Medd rhai a fu, â'i gledd a'i lu,
  Dôi Un i'n rhoi yn rhydd;
Mae'r nos yn ddu, oer ydyw'r Tŷ,
  Ac mae'r gwynt yn rhuo'n brudd.

Mae'r du gysgodion mawr
  Yn ffoi rhag tonnog wawr,
A'r gwynt a daw, a chân a ddaw
  O'r nef ddi-sêr i lawr;
Ond bod uwchben un seren wen
  Drwy'r canu'n nofio'r nef:
A'r nos a ffy, claer ydyw'r Tŷ,
  Ac mae'r gân fel lwlian lef.

Mae'r nos yn oer a du,
  Ond hedd a leinw'r Tŷ;
A'r seren wen o hyd uwchben,
  A'r gân fel gynt y bu;
Nid Un a ddaeth â'i gledd a'i saeth
  I wared teulu dyn:
Boed nos yn ddu, claer ydyw'r Tŷ,
  A'u rhyddhad yw'r Addfwyn Un.

T. GWYNN JONES

HENFFYCH ITI, FABAN SANCTAIDD

Henffych iti, faban sanctaidd,
    plygu'n wylaidd iti wnawn
gan gydnabod yn ddifrifol
    werth dy ddwyfol ras a'th ddawn;
O ymuned daearolion
    i dy ffyddlon barchu byth,
gyda lluoedd nef y nefoedd,
    yn dy lysoedd, Iôn di-lyth.

Henffych iti, faban serchog,
    da, eneiniog, ein Duw ni,
rhaid in ganu iti'n uchel
    ac, ein Duw, dy arddel di:
ein Gwaredwr a'n Hiachawdwr
    wyt, a'n dyddiwr gyda'th Dad,
ac am hynny taenwn beunydd
    iti glodydd drwy ein gwlad.

Wele seren deg yn arwain
    doethion dwyrain at dy draed,
aur a thus a myrr aroglus,
    rhoddion costus iti gaed;
tywysogion a ymgrymant
    ac addolant di, O Dduw,
at y Seilo pobloedd ddeuant,
    gwelant dy ogoniant gwiw.

Bendigedig yn dragywydd,
    ti yw'n Llywydd a'n Duw llad;
iti'n ufudd yr ymgrymwn
    ac y rhoddwn bob mawrhad;

ti a wnaethost ryfeddodau
    eang barthau'r nef uwch ben,
ac ni ganwn it ogoniant,
    clod a moliant byth, Amen.

BARDD DU MÔN

NADOLIG YW

Rhaid cau y drysau heno'n dynn,
Mae gwynt y dwyrain ar y bryn;
Ond gwyn eich byd ar aelwyd lân,
Rhowch foncyff arall ar y tân,
Cewch glywed nodau'r suo-gân:
    Nadolig yw.

Mae golau yn ffenestri'r llan,
A'r gosteg sanctaidd ym mhob man,
Disgleiria'r sêr uwchben y rhos,
Mae'r praidd yn nesu at y clos,
A'r disgwyliadau'n llanw'r nos:
    Nadolig yw.

Daw rhin yn drwm o'r dyddiau gynt,
Mae'r hen, hen hiraeth yn y gwynt;
Mae'r ddaear eto'n gwrando'r gair
Am sypyn dwyfol yn y gwair,
O gogoneddwn Faban Mair:
    Nadolig yw.

W. RHYS NICHOLAS

O DAWEL DDINAS BETHLEHEM

O dawel ddinas Bethlehem,
  o dan dy sêr di-ri',
ac awel fwyn Jwdea'n dwyn
  ei miwsig atat ti:
daw heno seren newydd, dlos
  i wenu uwch dy ben,
a chlywir cân angylion glân
  yn llifo drwy y nen.

O dawel ddinas Bethlehem,
  bugeiliaid heno a ddaw
dros bant a bryn at breseb syn
  oddi ar y meysydd draw;
a chwilio wnânt am faban bach
  sy'n dod yn Geidwad dyn,
yn obaith byw i ddynol-ryw,
  y Bugail da ei hun.

O dawel ddinas Bethlehem,
  pwy heno ynot sydd?
Pa ddieithr wawr sy'n dod i lawr,
  pa ryw dragwyddol ddydd?
Os cysgu'n dawel heno 'rwyt,
  daw golau penna'r nef
i'r ogof laith i ddechrau'r daith:
  gogoniant iddo ef!

BEN DAVIES

CAROL

Yn dawel-olau yn y nos
   Symudai seren glir
Trwy oerni du y nefoedd wag,
   Seren y cariad hir.
Yn llwybyr hon y teithiai tri
   O bellter mawr y byd,
Yn ddoeth yn dilyn tua'r fan,
   At faban Duw mewn crud.

Ar faes yn nos y wlad gerllaw
   A thwllwch oer y lle
Yr oedd bugeiliaid wrth eu gwaith
   Dan lygad maith y ne'.
A golau angel arnynt hwy
   Ddisgleiriodd yno'n fawr
A dychryn enbyd, ofnau dwfn,
   A'u bwriodd hwy i lawr.

Ond neges addfwyn, neges Duw
   Dawelodd boen eu braw,
A lliw yr angel lanwai'r nos
   Fel cawod aur o law.
'Ewch tua Bethlehem yn awr
   Ar wawr y bore mud,
Ewch at y preseb, at y Mab,
   At Dduw a ddaeth i'r byd.'

Ar las y dydd, at breseb Mair
   Yng ngwair y stabal dlawd
Y closiodd dynion, gwych a llwm,
   I weled Duw o gnawd.

Mae'r uchel fore wedi dod
  Ar ôl yr aros hir,
Mae golau'n tyfu yn y nos
  A bywyd trwy ein tir.

GWYN THOMAS

CAROL

Cofiwn am eni ein baban gwyn
A chanu angylion ar ddôl a bryn,
Cofiwn am Fair yn ymbil â Duw
Am nerth i gychwyn rhyferthwy Ei fyw,
A chysgai Bethlem a'i theios clyd
Heb wybod fod Iesu yn crwydro'r stryd.

Ond ysigwyd Herod gan siglo'r crud
A chwalodd Ei chwerthin ochneidiau'r byd,
Y Seren syfrdanodd holl sêr y nef
A'r bugeiliaid yn baglu i'w ddilyn Ef,
Y seren fu'n eirias yng ngweithdy'r saer
Yn galw brenhinoedd i'w breseb gwair.

Cofiwn Simeon, hen batriarch llwm,
Yn canu gorfoledd ei henaint i Hwn,
Ac Anna unig yng ngwyll ei chell
Yn gweled Gwaredwr y gobaith gwell,
Mynnwn anadlu Ei newydd hoen
A syndod Ei seren tros erwau'r boen.

Gorchfygwn hen fyd sy'n dragwyddol drist
A synnwn weld Cymru'n croesawu'r Crist.
Daeth mewn cadachau, aeth mewn drain,
Ond heno, a'n hoes dan y bicell fain,
Seiniwn ein salmau, dyblwn y gân,
Mae hedd di-gledd yn Ei ddwylo glân.

GWYN ERFYL

CAROL NADOLIG

Pa beth yw'r sain
A dreigla gyda'r awel,
Yr anthem gain
Sy'n llenwi'r gofod anwel?
Sain côr y nef
Yn dyblu cân gorfoledd
Am ddyfod Crist,
Â'i gariad a'i dangnefedd.

A wawria dydd
Ni chlywir mwy yr emyn,
Na'r diolch rhydd am obaith i gredadun?
Na. Pery'r gân,
Diddiwedd fydd y moli;
A'r byd yn dân,
Ni dderfydd Ei glodfori.

BOB PARRY

A WELAIST TI'R DDAU?

A welaist ti'r ddau a ddaeth gyda'r hwyr
o Nasareth draw, wedi blino'n llwyr?
Bu raid imi ddweud bod y llety'n llawn
a chlywais hwy'n sibrwd, 'Pa beth a wnawn?'

A wyt yn fy meio am droi y ddau
i lety'r anifail a hi'n hwyrhau?
'Roedd yr awel neithiwr yn finiog oer
a llithrai dieithrwch dros wedd y lloer.

A glywaist ti ganu ynghanol y nos
a miwsig fel clychau draw ar y rhos?
Dychmygais unwaith fod rhywrai'n dod
i strydoedd Effrata i ganu clod.

A weli di olau draw ar y bryn
a hwnnw yn ddisglair fel eira gwyn?
Mae'n gwawrio'n araf ym Methlehem dref
a'r dydd newydd-eni yn gloywi'r nef.

A deimli di heddiw fod rhyfedd wyrth
yn datod y cloeon, yn agor pyrth?
O tyred, O tyred, heb oedi mwy,
i lety'r anifail i'w gweled hwy.

W. RHYS NICHOLAS

O DEUED POB CRISTION

O deued pob Cristion i Fethlem yr awron
  i weled mor dirion yw'n Duw;
O ddyfnder rhyfeddod, fe drefnodd y Duwdod
  dragwyddol gyfamod i fyw:
daeth Brenin yr hollfyd i oedfa ein hadfyd
  er symud ein penyd a'n pwn;
heb le yn y llety, heb aelwyd, heb wely,
  Nadolig fel hynny gadd hwn.
Rhown glod i'r Mab bychan, ar liniau Mair wiwlan,
  daeth Duwdod mewn baban i'n byd:
ei ras O derbyniwn, ei haeddiant cyhoeddwn
  a throsto ef gweithiwn i gyd.

Tywysog tangnefedd wna'n daear o'r diwedd
  yn aelwyd gyfannedd i fyw;
ni fegir cenfigen na chynnwrf na chynnen,
  dan goron bydd diben ein Duw.
Yn frodyr i'n gilydd, drigolion y gwledydd,
  cawn rodio yn hafddydd y nef;
ein disgwyl yn Salem i ganu yr anthem
  ddechreuwyd ym Methlem, mae ef.
Rhown glod i'r Mab bychan, ar liniau Mair wiwlan,
  daeth Duwdod mewn baban i'n byd:
ei ras O derbyniwn, ei haeddiant cyhoeddwn
  a throsto ef gweithiwn i gyd.

JANE ELLIS

CANED CLYCHAU

Dyma'r bore o lawenydd,
  Bore'r garol ar y bryn,
Bore'r doethion a'r bugeiliaid
  Ar eu taith, O fore gwyn!
    Caned clychau
  I gyhoeddi'r newydd da.

Dyma'r newydd gorfoleddus,
  Newydd ei Nadolig Ef,
Gwawr yn torri, pawb yn moli
  Ar eu ffordd i Fethlem dref.
    Seinied clychau
  I gyhoeddi'r newydd da.

Dyma'r gobaith gwynfydedig,
  Gobaith i bechadur tlawd,
Fod yr Iesu yn oes oesoedd
  Iddo'n Geidwad ac yn Frawd.
    Seinied clychau
  I gyhoeddi'r newydd da.

W. RHYS NICHOLAS

'Y BORE HWN'

Y bore hwn, drwy buraf hedd,
 gwir sain gorfoledd sydd
ymhlith bugeiliaid isel-fri,
 cyn torri gwawr y dydd.

Gwrandawed pob pechadur gwan
 sy'n plygu dan ei bla,
angylion nef, â'u llef yn llon
 yn dwyn newyddion da.

I Fethlem Jwda, dyma'r dydd,
 daeth newydd da o'r nef,
Duw ymddangosodd yn y cnawd,
 ein Brawd yn wir yw ef.

O! wele'r Bod sy'n dal y byd,
 yn fud ar lin ei fam;
newydd ei eni'n nawdd i ddyn,
 yn hŷn nag Abraham.

Rhyfeddwn byth, tra byddwn fyw,
 ddaioni Duw i ddyn;
yr Iesu'n aberth roed i ni
 trwy nawdd y Tri yn Un.

JOHN THOMAS (PENTREFOELAS)

ENGLYN I'W ROI AR GERDYN NADOLIG

Down yn nes at y preseb – i weled
Y golau'n Ei wyneb;
Ildiwn ein hunanoldeb
Yma'n awr; nid ydym neb.

TÎM TALWRN Y SARNAU

ETIFEDD BACH JOSEFF A MAIR

Doethion o'r Dwyrain yn gwmni bach cywrain
A deithiodd i Fethlehem gynt,
Gan ddwyn eu hanrhegion a phob rhyw ddanteithion
Yn gwbwl ddibryder eu hynt;
Doethion o'r Dwyrain yn gwmni bach cywrain
Yn teithio i Fethlehem gynt.

Hwy welsant y seren oedd yn y ffurfafen
A'i dygai at breseb o wair;
A mawr oedd y moli wrth droi i addoli
Etifedd bach Joseff a Mair;
Uchel frenhinoedd yn plygu yn rhengoedd
Wrth breseb bach Joseff a Mair.

O na ddôi tyrfa o feysydd Korea,
O'r India a thraethau yr aur,
I ddilyn y seren sydd yn y ffurfafen
At Fethlem a phreseb o wair;
Yno i foli ac isel addoli
Etifedd bach Joseff a Mair.

W. R. EVANS

BALED Y PEDWAR BRENIN

O bedair gwlad yn y Dwyrain poeth
Cychwynnodd y pedwar brenin doeth
Am eira'r Gorllewin, dan ganu hyn:
O! Seren glir ar yr eira gwyn.

Y seren a welsant o'u pedair cell,
A dynnodd ynghyd eu llwybrau pell.
A chanai clychau'u camelod drwy'r glyn:
O! Seren glir ar yr eira gwyn.

Daeth tri ohonynt yr un nos
I Fethlehem dros fryn a rhos,
A chanent o hyd a'u lanternau ynghyn:
O! Seren glir ar yr eira gwyn.

'Beth a ddygasoch chwi yn awr
O'ch gwlad yn rhodd i'r brenin mawr?'
Agorodd y tri eu trysorau pryn
Dan y Seren glir ar yr eira gwyn.

'Aur o goron frenhinol fy ngwlad':
'Thus o demlau duwiau fy nhad':
'Myrr i'r brenin – cans marw a fyn':
A! Seren glir ar yr eira gwyn.

* * *

Ond y brenin arall, ple roedd efô?
A pheth a ddygasai ef o'i fro?
A phaham y tariai ef fel hyn,
O! Seren glir ar yr eira gwyn?

Fe gychwynasai yntau'n llon,
A pherl brenhinol ynghudd wrth ei fron,
Ond gwelodd yn Syria, a'i dagrau yn llyn,
Ferch fach mewn cadwynau'n yr eira gwyn.

Brathai'r hualau oer i'w chnawd,
Ond llosgai'i deurudd morwynol gan wawd
Y gwerthwr caethion. Syllu'n syn
A wnâi'r Seren glir ar yr eira gwyn.

Mae'r brenin yn llamu o'i gyfrwy gwych;
Mae'r perl yn neheulaw'r gwerthwr brych;
Mae'r eneth yn rhydd, a'i gwefus a gryn
Fel y Seren glir ar yr eira gwyn.

Ond trodd y brenin ei gamel yn ôl
Dan ocheneidio a churo'i gôl:
'Ofer heb rodd fynd ymhellach na hyn
Gyda'r Seren glir dros yr eira gwyn.'

⋆ ⋆ ⋆

Flynyddoedd ar ôl colli'r gem
Daeth yntau i byrth Ieriwsalem,
A gwelodd uwch Calfaria fryn
Y Seren a fu gynt ar yr eira gwyn.

Roedd yno Un mewn angau loes,
A milwyr Rhufain wrth Ei groes;
Ond gloywach fyth na'u gwaywffyn
Oedd y Seren a fu ar yr eira gwyn.

Canys rhwng drain y goron lem
Fe ganfu'r brenin belydrau'r gem
Ar ael y Gŵr oedd ar y bryn,
Megis Seren glir ar yr eira gwyn.

'Pa fodd, fy Arglwydd, y cefaist Ti
Y perl dros y gaethferch a roddais i?'
'Yn gymaint â'i wneuthur i un o'r rhai hyn
Fe'i gwnaethost i Arglwydd yr eira gwyn!'

CYNAN

Y DOETHION

Pwy yw y rhain sy'n dod
I'r ddinas ar y bryn,
Yng ngolau'r seren glaer
Ar eu camelod gwyn?
Brenhinoedd dri yn ceisio crud
Brenin brenhinoedd yr holl fyd.

Blin fu y daith a hir,
Heibio i demlau fyrdd
Duwiau y nos a'r gwyll,
Dros anghynefin ffyrdd,
Yng ngolau'r seren glaer o hyd
At Dduw y duwiau yn ei grud.

Heibio i'r llety llawn,
Heibio i'r llysoedd gwych,
Sefyll a phlygu i'r llawr
Wrth lety llwm yr ych,
A gweled yno yn ei grud
Arglwydd arglwyddi yr holl fyd.

I. D. HOOSON

Y DOETHION

Y rhain o'r dwyrain sy'n dod – i siarad
    Am seren wrth Herod;
  Ymholi ei gamelod
  Am un bach, y mwya'n bod.

GWILYM HERBER WILLIAMS

DILYN Y GOLAU

(Penillion a ganwyd fel rhan o'r ffilm *Nadolig*)

Pan fo'n uchel y celyn – a Seren
Mab y Saer i'w dilyn,
Wrth ei cheisio bydd pobun
Yn cynnau ei olau'i hun.

Un gannwyll yn ugeiniau – ugeiniau'n
Gannoedd a'u pabwyrau'n
Filoedd o gannoedd, yn gwau
I'w gilydd yn un golau.

Llawer cannwyll a'r cynnud yn gwahodd
Y gân o'r cyfanfyd,
A'n drysau, bawb, dros y byd
I garol yn agoryd.

⋆ ⋆ ⋆

Nid yw golau'n ddim byd, medd gwyddonwyr doeth
O fetaffisegwyr, ond protonau poeth
Sydd ers pan aned y cread ei hun
Yn saith o liwiau wedi'u toddi'n un.

Fel dirgel deffroad y twf ar y ddôl
Ni welsom ei ddyfod, ond gwelsom ei ôl,
Nac o ble y daeth, nac i ble yr â
Ni fedrwn amgyffred, dim ond beth a wna.

Mae ar ffin ein dirnadaeth ei wibiad chwim
Ond hebddo ef ni chanfyddem ddim,
Fel y gân yn y galon ar droad y rhod,
Ni wyddom beth ydyw, dim ond gwybod ei fod.

⋆ ⋆ ⋆

Pinatta* neu Santa, mae'r sach—hyd y fyl
Ers dwy filawd bellach
O'i llawenydd yn llawnach,
Digon i bawb mewn dogn bach.

*Siôn Corn ym Mecsico.

★ ★ ★

Nid oes gloch a gân ddistawed
Nad yw pawb yn medru'i chlywed,
Nid oes seren chwaith mor ddinod
Nad yw pawb yn medru'i chanfod.

★ ★ ★

Tra bo dynolryw bydd rhywun – yn nwfn
Pob nos wrthi wedyn,
Gan ddal dan ganu i ddilyn
Canhwyllau y golau gwyn.

★ ★ ★

A golau'r Seren honno
Ym Methlem fu'n disgleirio
Yw fflam pob cannwyll uwch pob crud
Ar draws y byd sydd heno.

Ei gwawl yw pob pelydryn
Sydd yn disgleirio'n glaerwyn
Ar furiau aur a cherrig nadd
Y neuadd fel y bwthyn.

★ ★ ★

Yn nhîm y gân pan aem gynt
Am galennig wedi nos,
Roedd bwganod yn y cysgodion
A Herodiaid ein pryder
Yn rhithio o berthi'r eithin.

Hyd lonydd dioleuni,
Gan godi o'u llwyni y tylluanod
A'u hofnau'n ein hanfon
Hyd erwau dieithr ein daear dywyll.

Yna, draw rhwng coed yr allt
Yn ein gwahodd, fagïen
O oleuni yn oerni'r nos.
Ein cân yn cerdded y cwm,
A'i heco yn codi'r gliced.

⋆ ⋆ ⋆

Mae lludded, ym min llwyddo
Yn fuan yn dadflino,
A'r traed a fu ar siwrnai faith
O'u taith yn ymystwytho.

⋆ ⋆ ⋆

Cerdded eilwaith daith y doethion
Ydyw hanes holl blant dynion,
Gan ddisgwyl cael, ar ôl trafaelu,
Bennill ateb yn y llety.

Mynd, i fiwsig, mewn defosiwn
Yn oesoesol mewn prosesiwn,
Mynd, a dilyn munud olau
O lawenydd draw o'u blaenau.

⋆ ⋆ ⋆

Hyd holl bellafoedd daear cenwch gân, cenwch gân
Yn un gymanfa lafar, cenwch gân.
Cyhoeddwch y newyddion
Fod fflam daioni dynion
Yn drech na phob cysgodion, cenwch gân, cenwch gân,
I'r golau yn y galon cenwch gân.
Ymleded eich melodedd dros y byd, dros y byd,
Hosanna eich perseinedd dros y byd,
A'ch carol fo'n cyhoeddi
Y gân nad yw'n distewi,
A channwyll y goleuni dros y byd, dros y byd,
Nad oes dim diffodd arni dros y byd.

DIC JONES

CAROL Y BUGEILIAID

Cynheuwch y lantarn, hogia',
  A chodwch beth ar y wic
Nes bod golau fel aur ar yr eira,
  – A rŵan am y tenor 'na, Dic.
Cenwch eich carol o groeso i'r ŵyl,
Pob llais ar ei orau a phawb mewn hwyl.

Mae 'na ddisgwyl mawr wrthym heno
  Drwy bentra' bach Trefriw i gyd,
Pob ffenest' wedi'i goleuo
  Ym mhob parlwr ffrynt trwy'r stryd.
A'r celyn a'r trimins a'r clychau aur tlws
Yn cyrraedd o'r silff-ben-tân i'r drws.

Dowch ymlaen, mae plant bach y dreflan
  Yn disgwyl am garol o'r stryd;
Mae'u hosanau yn awr wedi'u hongian,
  Ond yn effro y maen' nhw i gyd
Nes clywed o'r gwely'r hen gân wrth y drws
Am fugeiliaid a ddaeth at ryw faban bach tlws.

Cawn droi i dŷ'r person yn ola'
  Am ei fendith ar waith ei gôr
O Lanrhychwyn yn canu carola'
  Drwy'r pentra'; a chawn brofi o stôr
Ei wreigdda groesawus, a'i mins-peis yn rhad
A 'phaned o de i hen hogia'r wlad.

Mae 'na bobol a fynnai'n dirmygu
  Am amgylchu'r ardal fel hyn
Yr un fath â'n tadau, i ganu
  Carolau'r Nadolig gwyn,
A'r byd yn arswydo rhag rhyfel a'i bla
Heb gredu fawr ddim mewn ewyllys da.

Ond mae'n well gen i'r ffydd fu'n arwain
    Ein tadau i'r llan tan y sêr
I gynnal gwasanaeth plygain
    Yng ngolau'r canhwyllau gwêr
Ar garolau'r hen Gowpar a Thwm o'r Nant
Pan oedd enw Boni yn ddychryn i'r plant.

O ydi, mae'n well gen i gredu
    I'r Ffydd a'u cynhaliodd hwy
Pan oedd cyni a thlodi'n ymledu
    Tros Gymru o blwy i blwy,
Ac a'u nerthodd trwy bob profedigaeth lem
I ganu am Seren Bethlehem.

'Dydan ni ddim yn 'enwog ddatgeiniaid',
    Nac yn gôr eisteddfod, ta' waeth;
Dim ond dau neu dri o fugeiliaid,
    A gyrrwr y lorri laeth,
A merched o'r offis a'r ffatri wlân,
Ond fe rown ein calon i gyd yn ein cân.

A chofiwch chi, gwmni diddan,
    'Rydan ni heno'n rhan o gôr
Aneirif trwy'r ddaear gyfan
    Sydd yn canu 'Gogoniant i'r Iôr',
Gan ddarlledu'r newyddion da i bob tir,
Newyddion yn rhy dda, gan rai, i fod yn wir.

Felly, codwch yn awr eich lanternau
    Fel aur ar yr eira gwyn,
A chodwch eich llawen leisiau
    A rhown dro dros un garol 'fan hyn,
Unwaith eto, â'ch ffydd yn y dwyfol air,
Cenwch i'r Baban ar liniau Mair.

CYNAN

OLEUNI NEFOL

Oleuni nefol, tyrd i lawr
　Ar doriad gwawr, yn dirion.
Rhowch chwithau glust, fugeiliaid glân,
　I hyfryd gân angylion.
Fe aned Mab ym Methlehem
Ac iachawdwriaeth yn ei drem:
　　At breseb Iesu brysiwn,
　　Oll ger ei fron ymgrymwn.

O ganol hedd y Wynfa gain
　I blith y drain a'r drysni,
Mewn pryd y daeth Mab Duw ei hun
　I achub dyn o'i gyni.
Daeth aer y Nef mewn gwisg o gnawd,
Gynt, er ein mwyn, yn faban tlawd:
　　Am hynny, byth heb flino,
　　Cydganwn, 'Diolch Iddo.'

J. T. JONES

YR ANGEL

Mae'n gwenu arnom
o nefoedd ein coeden
bob blwyddyn.

Ei hadenydd disymud
yn fregus
wrth ei thynnu o'r bocs;
ac aur ei gwisg
a lliw ei llygaid
wedi pylu.

Roedd hi'n newydd
pan oedd Mam yn fach,
yn lliwgar yn y lluniau
a'r aur yn disgleirio
yn llygaid y plant.

Mae'n hen ond yn newydd
i ni bob blwyddyn
fel y Baban ei hun.

ELIN MEEK

ANGEL

(Ar dôn led-Lydewig)

Be' 'di'r gola' dros y Llan?
Angel bach gwyn, angel bach gwyn.
Dros y môr a dros bob man?
Angel bach gwyn y Nadolig.

Be' 'di'r sŵn fel storom blu?
Angel bach gwyn, angel bach gwyn.
Y sŵn fel sêr yn nrws y tŷ?
Angel bach gwyn y Nadolig.

Du ydi'r briga' ar y coed,
Coch ydi'r dail o dan fy nhroed
A dyna 'di lliwia'r gaea' erioed . . .

Mae rhai yn ama' wyt ti'n bod,
Angel bach gwyn, angel bach gwyn.
Ond bob Nadolig rwyt ti'n dod,
Angel bach gwyn y Nadolig.

TWM MORYS

CAROL Y BLWCH

Gwrandawed pob enaid ar gennad o'r llys
A ddaeth o Gaersalem i Fethlem ar frys;
Pob organ mewn cywair, pob telyn mewn hwyl,
A myrdd o angylion yn cadw dydd Gŵyl.

Arweiniwyd rhyw seren uwch Bethlem a'i phyrth
I ddangos i'r doethion arwyddion o'r wyrth;
O Gabriel, O Gabriel, rhaid dangos y tlws
A dos â'r bugeiliaid i ymyl y drws.

Fe redodd bendithion 'rôl agor y blwch
O'i fynwes i ddynion, rai llymion y llwch;
I dair mil o lestri fe redodd mor rhydd
Nes llanwodd y cyfan cyn hanner y dydd.

Blwch lanwodd gostrelau Manasse a Saul,
Blwch llawn o drysorau i ninnau sy'n ôl;
Blwch saint ac angylion, anwylion y nen,
Mae'n Alffa, Omega i ninnau, Amen.

TRADDODIADOL

EIRA, THUS A MYRR

Am dro, b'nawn 'Dolig, lan y Lôn Werdd,
rhwng welydd llwyd a mwsogl
i dir agored cen y cerrig a'r grug gaeafol, du;
fe garies i di'r diogyn teirblwydd
er mwyn cael dy gwmni bytholwyrdd.
'Eira, thus a myrr . . .' oedd dy *fantra* heddiw
wrth gicio'r cyflinellau
a dechrau gweld y byd i gyd.
'Ble mae Llandysul? Ble mae Sbaen?'
gofynnest, nes ein bod ni'n troi
yn gwmpawd gwallgo' pedair braich –
a'r melinau gwynt yn ein hefelychu
ar grib y Mynydd Bach.
Ar ben y Graig Ddu fe gytunest
(y gyntaf o'r gwyrthie) i *gerdded* nôl,
gymaint oedd dy bleser o faglu'n ffôl
ar gerrig simsan yr hen lôn.
Ac fe welsom Moc Troedrhiw
yn gwisgo het Siôn Corn (ail wyrth)
ac yn tisial ar y buarth;
a'r drydedd wyrth, wrth droi i'r fynwent
yn ddefodol, heibio i'r beddau teuluol,
fe safon ni ac ar yr un amrantiad sylwi
bod eira ar Bumlumon.
Dau bagan yn dychwelyd o ddefod y Nadolig
wedi llonni'n calonnau â rhoddion cudd.
'Eira, thus a myrr . . .'

LOWRI GWILYM

DRANNOETH YR ŴYL

O gilio'r hen fugeiliaid
At yr ŵyn eto o raid,
A chamre'r nifer nefol
Tua'r nef wedi troi'n ôl,
A'r Doeth doeth ar gyngor da
Yn dianc o Jwdea,
Yn y gwellt yr unig un
Arhosodd oedd yr asyn.
Ond, a herwyr du Herod
Yn eu dur at Iesu'n dod,
Hwn o'i stâl ar droed ddi-stŵr
Waredodd y Gwaredwr.

JOHN GWILYM JONES

HEN STORI

Un hanesyn cyn nosi a garwn,
a'r un geiriau 'leni
â'r llynedd cyn cau'r llenni –
stori bert i'm styrbio i.

CERI WYN JONES

CÂN Y NOSWYL

Mae'r stabal heddiw'n adfail
A'r to yn llwch ar lawr,
A'r rhastal lle bu'r gwenith
Yn ddim ond rhwd yn awr.

A thros y Seren lachar
Mae cwmwl yn y nen,
A hud Nadolig Bethlem
Yn awr yn dod i ben.

Ac nid oes praidd yn pori
Ar lechwedd ac ar fryn,
A dim ond sŵn bwledi
I'w clywed erbyn hyn.

A phan ddaw eto'r Noswyl
I Fethlem megis cynt,
A ddaw hen, hen hanes
I ganu yn y gwynt?

TUDUR DYLAN JONES

NADOLIG

Cenwch donc, cynheuwch dân,
Dygwch i blentyn degan,
Gelwch wlad i gylch y wledd
Yn llon 'r un fath â'r llynedd.
Y newydd hen eto a ddaeth
I ddyn yn ddiwahaniaeth.

Y plant sy' biau Santa,
Ganddo dwg y newydd da
Yn llywanen llawenydd
Dros y wlad cyn toriad dydd.
Clywch ei droed a'r clychau draw
Ar awelon yr alaw.

Rhowch sbrigyn o'r celyn coch
Ar y drws yn ir drosoch,
A'r goeden ffer a geidw'n ffydd
Drwy y gaea'n dragywydd,
I addoli'r geni gwyn
Ym mhreseb llwm yr asyn.

'R un yw geiriau'r hen garol
Ag oedd flynyddoedd yn ôl,
Ond cedwch ddôr agored
I'w siriol lais hi ar led,
O achos y mab bychan,
Cenwch donc, cynheuwch dân.

DIC JONES

DOS Â FI I'R NOS

Nadolig 2002

Dangos imi nos dywylla'r nen
heb lygad cath o olau ar lathen
o'i rhiwiau, nos nodwyddau'r ywen;
ac yna, pan yw pob geni mor bell
    ac mae'r byd yn cloffi,
yr awyr yn dal i rewi – a phob
    un ffordd wedi'i cholli
a'r nos yn ein harwain ni – a dim oll
    ond myllio amdani
yn nhrwch y düwch, estyn di – gannwyll
    drwy ganol y drysni
  a gwelaf lôn ohoni,
  o'i gewin haul bach gwyn hi.

Yn dy gwmni di, mae'r daith
yn felys drwof eilwaith,
mae golau ar ganghennau ynghyn
a'r heol i gyd yn garolau gwyn
a'r plantos yn hel celyn heb ddim hawl
a'u gwên a'u mawl yn y plygain melyn.

Dos â fi, drwy'r ffenestri, i'r nos,
o'r gwely gwag at gariad agos
a maddau i angel am ymddangos.

Dos â fi drwy lwydni a thrwy len
Rhagfyr at y murmur yn fy mhen
a holl bersawrau llwybr y seren.

Dos â fi, a'r gaea'n noethi'n awr
dan gysgodion gelynion, i lawr
y ffyrdd du at gyffyrddiad y wawr.

MYRDDIN AP DAFYDD

YR UN NADOLIG HWNNW

Y mae'r deffro hwnnw, yn dair,
Yn dal i oleuo fy nghof; Nadolig
Y ceffyl pren.

Am hwnnw y bu ymofyn.
Nodasid ei enw.
Anfonasid i ddirgelwch du y simnai
Ar lythyr gwyn gyfrin arwyddion
Yr enw hwnnw.

O gyffro'r hir ddisgwyl
I fore bach yr ŵyl daethai
Y geiriau a fu'n gweryru
Ac yn carlamu trwy'r dychymyg
Yn bren gweladwy, sigladwy, solat.
Diolch Santa.

Y mae'r siglo hen hwnnw
O hyd yn fy mhen.
Y mae o yno'n duthio, neu'n rhyferthwy o fynd;
Y mae o'n glopian gwastad, neu'n bystylad gwyllt
Ar draws fy mlynyddoedd.

Fel y Nadolig ei hun y mae o –
Fy hen geffyl pren – yn ei dro
Yn fy nghario i'n ôl i hen, hen Eden.

GWYN THOMAS

NADOLIG PWY A ŴYR

Tinsel ar y goeden,
Seren yn y nen,
A'r ddoli fach yn eistedd
Mor ddel ar frig y pren.
Ai hyn yw'r Nadolig? Pwy a ŵyr?

Clychau Santa'n tincial
Dros yr eira mân
A lleisiau plant yn uno
I ganu carol lân.
Ai hyn yw'r Nadolig? Pwy a ŵyr?

Plant yn dawel, dawel
Yn eu cwsg drwy'r oriau bach
A breuddwyd fwyn yn gofyn
A ddaw Santa gyda'i sach?

Daw teganau lawer,
A phwy ŵyr o ble,
A sŵn eu chwerthin hapus
A glywir dros y lle.
Ai hyn yw'r Nadolig? Pwy a ŵyr?

Clychau eglwys fechan
Gyda'i neges i'r holl fyd
Yn canu i'n hatgoffa
Fod y Baban yn ei grud.

Neswch at y preseb,
Plygwch yno'n llwyr,
Wrth weld y brenhinoedd a'r engyl
Nid oes rhaid gofyn –
Pawb a ŵyr.

RYAN DAVIES

SONED NADOLIG

Pan ddôi hi'n ddydd Nadolig arnom gynt
A ninnau blant yn mynd i fwydo'r stoc
I Nhad gael hoe, a'r clychau'n llond y gwynt,
Fe aem yn syth at breseb y fuwch froc –
Honno â'r seren ar ei thalcen; dôi fy chwaer
Iddi â'r sweden fwyaf yn y sach
A thipyn bach go lew dros ben o wair,
Waeth hi oedd biau Seren, esgus bach.
Fe sgubai'r gwely a'i daenu â sarn mân
I'w chadw'n gynnes yn yr awel lem,
A phanso glanhau'r preseb drwyddo'n lân,
'Run fath â'r beudy hwnnw ym Methlehem.
Disgynnai bwydo'r gweddill arnaf i,
Ond wedyn, Mary oedd ei henw hi.

DIC JONES

AR GERDYN NADOLIG

Boed gwres y tân amdanoch – a seren
Nos o eira arnoch
A'r hen Siôn Corn sanau coch
A'i lawenydd gŵyl ynoch.

MYRDDIN AP DAFYDD

AR NOSON FEL HENO

Ar noson fel heno
Yng ngwlad Iwdea gynt,
A'r sêr yn llond yr awyr
A'r gaeaf yn y gwynt,
Fe aned yno i'r Forwyn Fair
Ei baban bach ar wely gwair.

Ar noson fel heno,
A'r dref yn cysgu'n drwm,
Fe ddaeth bugeiliaid ofnus
At ddôr y llety llwm;
Ac oddi yno syllu'n daer
Ar wyneb annwyl baban Mair.

Ar noson fel heno,
Dros erwau'r tywod poeth,
O'r dwyrain pell i Fethlem
Fe ddaeth tri brenin doeth
I blygu'n wylaidd yn y gwair
I roddi mawl i faban Mair.

Ar noson fel heno
Cawn ninnau gofio 'nghyd
Am eni, yn Iwdea,
Waredwr mwyn y byd,
A chanwn gân i faban Mair
A aned gynt ar wely gwair.

T. LLEW JONES

SALWCH NADOLIG

Ddoe symudodd salwch drosot fel cawod heli
A'r fath wanychiad! Mor llipa yw oedolion
Fel na sylwir braidd pan nychant, ond gyda thi
Collodd y sêr eu poer, trodd prancio'r myn
Yn garreg oer; a manglwyd ohonot dy sug . . .
Ond wele daeth yn Nadolig; dyma ti'n
Fore o furum drachefn, yn wlithyn ar ganol diffaith,
A'r haul yn taflu canu ar y coed tan ysgwyd eu calon
A'u gwasgu – llynges o egin yn hwylio hyd bob cangen
A'r haul uwch eu cysgod yn eu troi nhw'n bysgod gwyn
Dan drawiad ei hudlath hir. Gŵyl yw'r Nadolig mewn ffaith:
Dyna Dduw i'r dim, i ganol gaeaf bugeiliaid dug flaguryn;
Ar waelod noson fain rhoes dân. Mae'n cynnal parti
    pen-blwydd
O hyd mewn eira. Diolch fo iddo Ef am arwydd.

BOBI JONES

LIW NOS

Liw nos, â'r carolau'n hen, fe wenaf
innau'n llawn cenfigen
ar y plant a welant wên
mab y saer ymhob seren.

CERI WYN JONES

NADOLIG ERS TALWM

Yr un dydd a fu'n hir yn dod – y llofft
Yn llwyth o ddarganfod,
Unnos undydd o syndod,
Y tŷ'n bert, a Santa'n bod.

TÎM TALWRN PENRHOSGARNEDD

PENNILL I'W ROI MEWN CRACER

Rholyn o grêp rownd chwiban blastig,
Het bapur sidan wedi'i rhwymo â lastig,
A'r pos y tro hwn yw 'Pa greadur dialgar
A gofiodd roi popeth ond clec yn y cracar?'

IFAN ROBERTS

STORI'R GENI 2

'Rôl crwydro o Narberth roedd Joseff am aur
i brynu o leia' un welly'n y gwair,
ac er nad oedd lle yn y Beti, rôl sbel
roedd lle yn y Starbucks i fe a Manuel,
ac yno fe anwyd y caban bach, gwych,
a'i roi yn y mellt gyda'r rhacsyn a'r brych.

Ar gefn eu cwningod fe ddaeth tri gŵr noeth,
gan ddilyn y seiren o'r dwyrain pell, poeth,
(ac enwau y noethion oedd Mair, Myrr a Phus –
wel dyna yr enwau a gawsom gan Miss!)
A daethant i Starbucks rôl teithio'r holl fyd
a rhoi eu harchebion i'r caban mewn crud.

Ym Methlem Jemeima yr oedd yn y nos
fogeiliaid yn hwylio eu blaidd ar y rhos,
a chamel yr Arglwydd a safodd gerllaw
a darllen y news am lawenydd heb fraw:
'Mae caban 'di eni, na fyddwch yn drist –
ewch draw at y press-up i weld Bessie Grist!'

CERI WYN JONES

NADOLIG 1965

Ma'i 'run fath bob Nadolig; pam mai fi sy'n cael short straw?
Y fi oedd gŵr y llety'n sicsti-thri a sicsti-ffôr.
Pam na cha' i fod yn fugail, neu yn un o'r tri gŵr doeth?
'Swn *i*'m yn cario'r thus 'na fel petai o'n daten boeth.

Dwi'n siŵr 'mod i heb gael fy newis am 'mod i'n rhy fyr,
Ond ers pryd mae taldra'n un o gymwysterau cario myrr?
A taswn *i*'n ŵr doeth mi ffeindiwn bresant *dipyn* gwell
na hen dun Roses sydd yn 'edrych fatha myrr o bell'.

Mae'r doethion 'na ill tri yn edrych yn rial ciari-dyms,
Pob un mewn coron garbod 'di'i addurno 'fo fruit gums.
Ac os nad dwi'n ddigon tal i gario myrr; be 'di'r ecsgiws
'mod i'n methu bod yn fugail? Mae gen i ddresin-gown piws
'run fath â hwnne'n fanne, sy'n ei lordio'i rownd y festri
efo ffon ei daid, a'i ben ar goll mewn lliain sychu llestri.

'Swn i'n licio bod yn angel efo tinsel ar 'y mhen. Od –
'di'r Beibil ddim yn deud eu bod nhw'n gorfod bod yn genod,
Ond welwch chi byth fachgen yn cael gwisgo'r 'denydd gwyn.
Tybed be s'gen y Comisiwn Cyfle Cyfartal i ddeud am hyn?

'Nes i gynnig actio'r asyn, ond mi chwarddon ar 'y mhen i;
A pham mai mab y gw'nidog ydi Joseff eto 'leni?
Dwi'n siŵr 'swn i 'di cael y rhan, heblaw am incident
ar fws y trip Ysgol Sul, pan oedd y gw'nidog yn sêt ffrynt.
Mi daerais i bryd hynny nad y fi na'th luchio'i het o.
Mae'n amlwg na'th o'm 'y nghoelio fi. Dwi'n ŵr y llety eto.

Ond dwi'n meddwl gwneud un newid bach i'r sgript tro
'ma am chênj.
Dwi'n siŵr y dylai dyn y llety fod yn foi mwy clên,
So pan ddaw Mair a Joseff i ofyn oes 'na le,
mi ddeuda' i 'Oes siŵr, dowch mewn, 'na'i baned bach o de'.

GERAINT LØVGREEN

DRAMA'R NADOLIG

Defod, ar y Nadolig, yw fod
Plant y festri, y bychain,
Yn cyflwyno yn ein capel ni
Ddrama y geni.

Bydd rhai oedolion wedi bod wrthi
Yn pwytho'r Nadolig i hen grysau,
Hen gynfasau, hen lenni
I ddilladu y lleng actorion.

Pethau cyffredin, hefyd, fydd yr 'anrhegion':
Bydd hen dun bisgedi,
O'i oreuro, yn flwch 'myrr';
Bocs te go grand fydd yn dal y 'thus';
A daw lwmp o rywbeth wedi'i lapio,
Wedi'i liwio, yn 'aur'.
Bydd yno, yn wastad, seren letrig.

Bydd oedolion eraill wedi bod yn hyfforddi angylion,
Yn ceisio rhoi'r doethion ar ben ffordd,
Yn ymdrechu i bwnio i rai afradlon
Ymarweddiad bugeiliaid,
Ac yn ymlafnio i gadw Herod a'i filwyr
Rhag mynd dros ben llestri –
Oblegid rhyw natur felly sy ym mhlant y festri.
Bydd Mair a bydd Joseff rywfaint yn hŷn
Na'r lleill, ac o'r herwydd yn haws i'w hyweddu.
Doli, yn ddi-ffael, fydd y Baban Iesu.

O bryd i'w gilydd, yn yr ymarferion,
Bydd cega go hyll rhwng bugeiliaid a doethion,
A dadlau croch, weithiau, ymysg angylion,
A bydd waldio pennau'n demtasiwn wrthnysig
I Herod a'i griw efo'u cleddyfau plastig.

A phan dorrir dwyster rhoddi'r anrhegion
Wrth i un o'r doethion ollwng, yn glatj, y tun bisgedi
Bydd eisiau gras i gadw'r gweinidog rhag rhegi.

Ond yn y cariad fydd rhwng y muriau hynny
Ar noson y ddrama, bydd pawb yn deulu;
Bydd diniweidrwydd gwyn yr actorion
Yn troi'r pethau cyffredin, yn wyrthiol, yn eni,
A bydd yn ein nos, yn ein tywyllwch, y seren letrig
Yn cyfeirio'n ôl at y gwir Nadolig,
At y goleuni hwnnw na ellir mo'i gladdu.
Ac yng nghanol dirni ac enbydrwydd byd sy'n gaeth
    dan rym Herod
Fe ddywedir eto nad yw Duw ddim yn darfod.

GWYN THOMAS

LLWYFAN BETHLEM

Wrth gwyro fy masg ar gyfer y Sul
a pharatoi y paent,
daw llwyfan Bethlem eto'n llun,
a'r cymeriadau'n ddafad, buwch, ac asyn,
yn angel a bugail,
gŵr a gwraig, a dol.

Rown innau'n un ohonynt,
ffyddlon ymhob practis ar nos Lun;
deuthum yn un o'r doethion
o ddwyrain y festri,
yn frenin pum troedfedd
o bapur crêp a masg.
Gwyddwn y geiriau, chwedl y bardd,
gwyddwn y geiriau'n dda.

A gwyddwn yr ystum wrth osod yr aur
yn rhodd i'r baban plastar yn y preseb,
i'r actor diamrant dwl.

Beth ddaeth o'r tegan dan y cwrlid gwair,
o'r doethion doniol eraill,
ac o'r Forwyn Fair,
Joseff a'r asyn, a'r defaid dirifedi?
Beth ddaeth o'r seren drydan ar y wal?

Daw llwyfan Bethlem eto'n llun
wrth gwyro fy masg ar gyfer y Sul,
a pharatoi y paent.

DAFYDD ROWLANDS

CÂN NADOLIG

Deued eto fwyniant
  I galonnau briw,
Am i Ti, fy Ngheidwad,
  Ddringo garw riw
O rigolau parchus
  Synagog dy dras,
Fel y câi y tlodion
  Brofi golud gras.

Gwag yw synagogau'r
  Hen broffwydi gynt,
Lle bu yn atseinio
  Salmau'r nefol wynt.
O Ddyngarwr tyner,
  Brofodd eitha'r drin,
Tro fy nghamau simsan
  Tua'r bywiol rin.

Nesu mae'r Nadolig
  A'i gorlannau clyd,
I sirioli'r enaid
  Surwyd gan y byd;
Ti, Dosturiwr Sanctaidd,
  Wisgodd goron wawd,
O gwêl eto ddefnydd
  Engyl yn ein cnawd.

HUW T. EDWARDS

PEN-BLWYDD HAPUS

Mae'n barti pen-blwydd ar Waredwr y byd
A'r miri'n gorlifo o'r clybiau i'r stryd;
Mae pawb am fod yno, a'r dathlu mor rhwydd,
Heb wybod pwy'n union sy'n cael ei ben-blwydd.

A ninnau'n rhialtwch dathliadau y dydd
Yn gaeth i rhyw syniad ein bod ni yn rhydd,
Mae yno, o'r golwg ar bafin y byd,
Rhyw frenin bach eiddil a bocs iddo'n grud,

Dan gyfoeth o dlodi, anrhegion yn lluwch,
Sibryda y bychan yn uwch ac yn uwch
Mai cariad y plentyn yw'r un peth na thyr
A'i fod yn fwy gwerthfawr nag aur, thus na myrr.

A ninnau'n coluro y llwydni o hyd
A'n gwenau mor aml fel craciau'n ein byd,
O dysga ni eto fod modd bod yn hael
Â chariad, yr anrheg rhyfedda ar gael.

Mae'n barti pen-blwydd ar Waredwr y Byd
A'r dathlu yn llifo o'n c'lonnau o hyd,
Mae pawb am fod yno a charu mor rhwydd
Pan fo y Gwaredwr yn cael ei ben-blwydd.

ARWEL JONES

SANTA

Cyfaill plant ydyw Santa
A ddaw draw o Wlad yr Iâ
I rannu o'r gyfrinach
Sy'n fwndel dan sêl ei sach.

Yn ei gap a'i fantell goch
Bu hwn gan bawb ohonoch,
Yntau'n medru rhannu'n rhwydd
Niagra'i garedigrwydd.

Ym more oes daeth i'm rhan
Ryw ias wrth agor hosan,
Ond mae'n well gennyf bellach
Lenwi hosan baban bach.

DAI REES DAVIES

SIÔN CORN

Pwy sy'n dŵad dros y bryn
    Yn ddistaw, ddistaw bach?
A'i farf yn llaes a'i wallt yn wyn,
    A rhywbeth yn ei sach.
A phwy sy'n eistedd ar y to
    Ar bwys y simdde fawr?
Siôn Corn! Siôn Corn! Helô! Helô!
    Tyrd yma, tyrd i lawr!

Mae'r saith rhyfeddod yn dy sach,
    Gad inni weled un,
A rho ryw drysor bychan bach
    Yn enw Mab y Dyn.
Mae'r gwynt yn oer ar frig y to,
    Mae yma ddisgwyl mawr:
Siôn Corn! Siôn Corn! Helô! Helô!
    Tyrd yma, tyrd i lawr!

J. GLYN DAVIES

GWLAD Y CARDIAU NADOLIG

Mae gwlad y cardiau Nadolig mor dlws,
A'r eira'n llyfn ac yn lân hyd y ffyrdd,
Mae mynwes y robin ar garreg y drws
Mor rhyfeddol o goch, a'r celyn mor wyrdd.

Mae eglwys henffasiwn ynghanol y coed,
A thai â'u ffenestri'n olau i gyd,
A'r bechgyn a'r merched bach delaf erioed
Yn canu hen garol ar gornel y stryd.

Hen dafarn â'r eira'n wyn ar ei do,
A choets ar fin cychwyn i rywle ar hynt;
A rhyw hen ŵr barfog yn dod ar ei dro
A'r ceirw'n ei dynnu mor gyflym â'r gwynt.

Am wddf y dyn eira tu allan i'r drws
Bu rhywun yn clymu rhubanau a chloch;
O ydyw! Mae'r wlad yn rhyfeddol o dlws,
Ond pam y mae mynwes y robin mor goch?

T. LLEW JONES

(Yn ôl chwedl cafodd y Robin ei fron goch pan ddisgynnodd ar bren y Groes ar ddydd croeshoelio Iesu Grist.)

GWAITH Y NADOLIG

Y mae gwaith y Nadolig yn dechre
pan ddaw dydd Nadolig i ben,
pan fydd Santa 'di throi hi am adre
a'r goeden yn ddim byd ond pren.

Pan fo'r tinsel yn saff yn yr atic
yn angof mewn dau neu dri blwch,
y cyfarchion a'r cardie 'di llosgi
ac ysbryd yr Ŵyl yn hel llwch.

Bryd hynny y mae angen angylion
i dorchi'u hadenydd go iawn,
a bryd hynny mae angen lletywr
all 'neud lle er bo'r llety yn llawn.

Yr un pryd mae galw am fugail
i warchod y defaid i gyd,
fel mae galw am ddoethion a seren
i egluro tywyllwch y byd.

Mae 'na alw am gast drama'r geni
drwy'r flwyddyn i weithio yn gudd,
am fod gwaith y Nadolig yn anodd –
yn ormod o waith i un dydd.

MERERID HOPWOOD

WEDI'R ŴYL

Heno fe rown fel llynedd
ŵyl y byw yn ôl i'w bedd,
gan gloi doli'r babi bach
i gadw mewn hen gadach,
ac i'r atig rhoi eto
ddisgleirdeb ei wyneb o
ar y llawr yng ngwely'r llwch
yn ddoli o eiddilwch.
Yno 'nghrud ei alltudiaeth
mae'n rhith o gorff, mae'n wyrth gaeth,
ac ogof ein hangof ni
ni wêl heno'i oleuni.

CERI WYN JONES

NADOLIG

Cleddwch yr ŵyl, nid yw ond ysgerbwd,
Esgyrn y ginio, ysbwriel y wledd.
Teflwch i'r Baban yr hosan deganau
A pheidiwch â sôn am aur, thus a myrr.
Gyrrwch gerdyn cydwybod y gardod
I gyfaill a gofiwch;
Dyna'r ffasiwn a'r ffws.
Ni chlyw'r bugeiliaid ganu'r angylion
Lle bloeddia'r utgyrn,
Ac ni ddaw'r doethion a cherdded dros heol
Bwhwman bom.
Diddig yw'r ddaear dan niwloedd ofergoel
A diddig yw dyn, yr anifail cnawd.
Rhowch iddo'i bibell, ei botel a'i butain.
Gadewch iddo chwarae ag offer ei glyfrwch,
Techneg ei angau; gorfoledd ei wae.
Rhowch gyfle i uffern.
Cleddwch yr ŵyl, eiddo Mamon yw mwyach,
Mamon a masnach, miri a medd.
Gwisgasoch yr Iesu yng nghlogyn Santa
A phlannu'n ddiwreiddiau y goeden â'r tinsel
Lle gynt y bu'r Groes.
Cleddwch yr ŵyl.

'Clyw gryglais yr Eglwys
A'r clychau'n troi geiriau'n gweddïau yn gân.
Tyrd allan.
Tyrd allan o'r gegin, o'r dafarn, o'r ddawns.
Dos, ira dy lygaid ag eli'r gwlith
Awr encil yr haul.
Diosg dy esgid a cherdded yn droednoeth
Nes cyrraedd y llecyn sy'n lân dan y sêr.
O dan y sêr y mae Duw'n siarad.

Yno cei gwmni'r gefell a gollaist
Ddiwrnod y cweryl, brynhawnddydd y pwd.'

Yn y caddug rwy'n cuddio,
Dan do adain y dydd
Heddiw.
I'r cnawd pleser yw cnoi.
Cynhaliaf wledd heddiw,
Yfory, ni ddaw i'm rhan, o fwriad.

'Clyw wahodd yr awel,
Tyrd allan o garchar tŷ unnos dy frys.
Gwybydd mor greulon y cuddia d'ystafell
Yr haul a'i orwelion, y lleuad a'i llewych,
A'r sêr ar eu sarn.
Dilyn dy heddiw i benrhyn y machlud,
Cei yno gyfrinach y golau anniffodd,
Llygedyn y ffydd,
Lliw'r harddwch a ddychwel yn danlli i'r wawrddydd
Bob bore, bore bore, heb golli yr un.
Penlinia yn unig ar benrhyn y machlud
A gwylio nes gweld yr haul yn ei wely
A'r lleuad yn codi a'r sêr yn dod ati
'Gydag awel y dydd'.
O dan y sêr y mae Duw'n siarad.
Disgyn Ei eiriau yn fynych i'r gweiriau,
Ond clyw
"Y GAIR a wnaethpwyd yn GNAWD".'

E. LLWYD WILLIAMS

CÂN HEROD

A phwy yn y byd fyddai'n dewis bod yn frenin?
Mi dd'weda'i wrthych chi: pawb;

Mae pawb am fod yn frenin. Ystyriwch fi.
Lladdais fabanod yn fy ymchwil am Hwn:

Jiwbois bach gwallt cyrliog yn glafoerian
Ar hyd eu ffrociau, ac yn sugno'u dymis,

Do'n Tad. A wnes i hynny o ran hwyl?
A fedrwn wynebu hyd yn oed un pâr o'r llygaid

Hynny eto, hyd yn oed yn fy mreuddwydion?
Na fedrwn, debyg iawn. Ond ystyriwch hyn:

Gallai unrhyw un o'r diawliaid bach drygionus
Gymryd fy nghoron a'i defnyddio'n boti.

Ac y mae babanod mor annwyl! Debyg iawn mi gytunaf,
Ond 'dydyn nhw ddim yn aros yn fabanod am byth.

Y jiwbois bach hynny, yn sipian eu bodiau:
O fewn dim, wel gallai unrhyw un ohonyn nhw

Gymryd cleddyf a'i wthio trwy fy mherfedd
Jest i fod yn Herod ei hunan –

Ac efallai 'i fod yn un llawer gwaeth na fi.
O leiaf, bobl annwyl, cyflawnais y weithred yn lân,

Gofalu nad oedd anadl yn yr un cyn troi at y nesa.
Ac, wrth reswm, yr oedd y Baban Hwn!

Sut y gwyddwn i, pan ddywedodd fy nghynghorwyr
sandalog
Ei fod wedi cyrraedd, sut y gwyddwn i

Na chymerai sweip ataf fi? Oblegid
Yr oedd y *grym* gennyf fi – ac os na wyddoch

Beth ydyw ystyr grym, ystyr grym yw dychryn.
Ystyriwch y tipyn grym sydd gennych chwi:

Yr unig rym sydd gennych chwi yw rheolaeth
Ar wraig fach ddiniwed neu ar gwpwl o deipars oeliog

Mewn swyddfa sy'n drwch o lwch, a gwyddoch
Fel y gall y grym hwnnw eich dychryn,

Eich dychryn yn gandryll o'ch co.
Bwriwch fod y grym eithafol gennych, gyfeillion!

Y grym a oedd gennyf fi yng ngwlad Canaan,
Ac yn Lidice ac yn Budapest a Buchenwald.

Yr amgylchiadau, gyfeillion, sy'n rheoli'ch gweithredoedd.

T. GLYNNE DAVIES

NADOLIG

Wyf heddiw yn rhyfeddu, wyf ar daith
    Hefo'r doeth i'r beudy,
  Wyf y sant tyneraf sy'
  Ond wyf Herod yfory.

GERALLT LLOYD OWEN

YN NYDDIAU HEROD

Diolch i Ti, O Dad,
Fod yr Iesu wedi ei eni
Yn nyddiau Herod Frenin.

Beth petai wedi disgyn wrth ein drws
Adeg teyrnasiad Elisabeth yr Ail?

Byddai'n wahanol iawn arno mewn oes
Sy'n galw pob Joseff yn Joe.
A byddai Joe ar y dôl,
Ei forthwyl yn segur
A'i hoelion yn rhwd.

Gwadu a wnâi Joe
Pan ddeuai ei wraig ato i dorri'r newydd am y baban,
Gwadu, a'i chyhuddo o gysgu gyda rhywun arall;
Ac fe'i cynghorai i fynd yn dawel i un o'r strydoedd cefn
Am erthyliad.

Petai'r Iesu wedi ei eni
Yn ein hoes ni,
Byddai Mair wedi esgor
Ymhlith gwehilion dinasoedd mawr ein daear,
Ac yn lle nythu'n gynnes mewn preseb a gwair
Fe gâi'r Baban orwedd
Mewn bocs carbord.
Yn lle'r asyn a'r fuwch a'r ych
Fe benliniai'r anifeiliaid cyfoes
–Y tramp, y gwrywgydiwr, y godinebwr, yr alcoholic
A drwg-gymerwr y drygiau.

Diolch i Ti, O Dduw,
Fod yr Iesu wedi ei eni

Pan oedd y galon yn lân
A gwerinwyr y Dwyrain
Yn barod i gredu, mewn ffydd,
Mai trwy ddirgel ffyrdd
Y daw gwaith Dy Deyrnas i ben.

Yn y dyddiau syml hynny
Pan oedd y bugeiliaid, liw nos,
Yn ffyddlon i alwad y meysydd,
Pan oedd Mair yn eirwir
A phan fedrai saer o'r wlad synhwyro symudiadau'r
   Ysbryd,
Bryd hynny y canodd yr angylion
Ac y siriolodd y seren
Drymder y nos.

A pha waeth fod y llety bonheddig yn llawn
A Bethlem heb gornel gwag
Yn unlle ond y stabal
Ynghanol y dom a'r biswail;
Pa ots fod Herod yn rhywle
Tu allan, yn y tywyllwch,
Yn hogi'r llafnau
I agor gyddfau babanod gwan.

Pa wahaniaeth!

Roedd un gŵr o gariad at wraig,
Yn credu,
Credu fod Ysbryd Duw ar waith
Yn herio galluoedd y tywyllwch
I ddod â Goleuni i'n daear.

Am hynny, diolchwn, O Dad,
Mai yn nyddiau Herod Frenin
Ac nid o dan deyrnasiad Elisabeth yr Ail
Pan nad oes neb yn credu
Y daethost yn egwan
Fel baban i'n byd.

J. EIRIAN DAVIES

HOSAN

Ddydd yr ŵyl fe ddisgwyli – anwesu
　Dy hosan a'i chelfi;
Ar y dôl yr ydw i,
Nid yw lawned eleni.

HARRI ISFRYN HUGHES

MARWNAD SIÔN CORN

Mae Siôn Corn wedi marw,
daeth y neges ar y ffôn,
a gwelais olau'r ambiwlans
yn las ar y lôn:

mae Siôn Corn wedi marw,
gafaelais yn ei law
a'i theimlo'n oer a llonydd
fel cusan yn y glaw:

mae Siôn Corn wedi marw,
at bwy y sgrifennaf i?
ni chlywaf eto'i chwerthin mawr
am ben y sêr di-ri':

mae Siôn Corn wedi marw,
ni ddaw o'r ddaear oer
i gysuro'i blant sy'n crio'n
amddifad dan y lloer:

mae Siôn Corn wedi marw,
ond eto'n ddistaw bach
disgwyliaf, fore'r 'Dolig,
weld ei anrheg yn y sach.

IWAN LLWYD

PLENTYN SIOMEDIG

Cefais gompiwter newydd,
Fideo, a beic, a bat;
Ond rhywun arall 'leni
Oedd Santa Clôs – nid Dat.

OWEN JAMES

Y NADOLIG GWAG

Anghofiwn am y byd a'i epil nychlyd
  Wrth sadio'r goeden ar y plocyn crwn,
Plyciwch y clogyn coch o'i wely llychlyd
  I'n hysbrydoli y Nadolig hwn.
Taenwch y cardiau ar linynnau dwbwl
  A llenwi codau y masnachwyr tew,
  Y trimins a'r uchelwydd, dewch â'r cwbwl
  Nes llonni'r gegin fel ystondin siew.
Rhanner i'r plant deganau a chraceri
  A'u mwytho yng ngwladwriaeth Santa Clôs,
Cawn ninnau brofi'n hael o'r port a'r sieri
  A chanu'n dalog hyd berfeddion nos.
Yfwn a gwledda! ac na ddoed i'n Gŵyl
Y naws grefyddol i ddifetha'r hwyl.

J. R. JONES

YR UN NADOLIG HWNNW

Ni wyddwn fod y glo ar ben
Ac ni chlywais, tan wedyn, iddo ddiarchebu'r papurau.

Cododd ei bensiwn a mynd,
Gan adael ei gwpwrdd yn wag a'i aelwyd yn oer.

Sut y gwyddai
Fod cylch ei fywyd crwn yn gyfan?

Beth bynnag,
Roedd yr hen saer-gwlad
Wedi trefnu ei fasged,
Ei thaflu ar ei ysgwydd
A dilyn diddychwel daith.

Dai bach Maespant
I blant Sbyty gynt;
Dafi'r Saer, trwy flynyddoedd plaen ei lafur;
Ac fel blaenor anfoddog wedyn
Yng nghaethiwed Sêt Fawr y capel,
Defis y Llain.

I mi, Dyta ydoedd.

Gadawsai, dridiau ynghynt,
Am Fathri
I fwrw Nadolig
Yn naws eglwysig
Bro Ddewi.

Wedi noswyl gynnar,
O flinder darllen
Cysgodd â'i lyfr agored ar ei fron
– Cyfrol a gyraeddasai
Yn barsel-anrheg awr bost y bore.

Cysgodd, a'i gael y bore wedyn
Yn farw.

Fy nhad llengar,
A'r tinc telynegol yn anadl bywyd ei gerdd.

Un o hil yr Ysgol Farddol.

Gallech roi plwmen
Ar dalcen ei englyn unodl
A'i gael yn union.

Gŵr y geiriau – a'r Gair.

Gadawodd ar ei ôl
Ddeubeth
A fu mor efeillgar
Ymysg ei drysorau.

Barddoniaeth
Yma ac acw
Ar dameidiau o gydau symént,
A Beibl.

Y Llyfr llwyd
Â'i gas fel crofen hen gosyn
Dan draul trafod trwm y blynyddoedd.
Bu'n hylaw, wrth ei benelin,
Pan loywai'n haul
A phan wylai'n law
Wrth ffenest fach ei fywyd.

Rhyfedd oedd colli tad
Ar y Nadolig.
Fel petai'r Angau wedi gwasgu arnaf ei gysgod
Ar noson oleua plant y llawr.

Nid ymwelydd rhadlon o Siôn Corn mewn gwisg goch
A wnaeth i loriau oriau'r hwyr riddfan
Ond tresmaswr haerllug.
Gelyn mewn lifrai galarus
A fu ar gerdded y noson honno.

Dod
A dwyn fy nhad
O hosan gysurus fy mywyd.

Gwerinwr cywir ei fesur mewn coed ac mewn cân;
Pen-areithiwr y pryd ar lwyfannau bro,
A'r esboniwr i arwain o ddryswch yr Ysgol Sul.

Un doniol.
Un duwiol.

Y Dafydd a roed imi'n dad.

Bellach aeth chwarter canrif heibio.

Daliaf o hyd i wylo
Gan gredu mai ef oedd yr anrheg ddruta
A gafodd Iesu Grist yn Ei hosan
Yr un Nadolig hwnnw.

J. EIRIAN DAVIES

CAROL NADOLIG

Y mae'n agos i chwarter canrif erbyn hyn
Er y dydd Nadolig y croesodd fy nhad y glyn.

Dyna gythraul o beth oedd i'r Angau ar fore'r ŵyl
Ddod heibio fel Ffaddar Crismas o ran rhyw hwyl

A mynd ag ef oddi arnom, ac ar un strôc
Droi Gŵyl y Geni'n Ddygwyl y Marw, fel jôc.

Fe wyddem fod Angau o gwmpas; ond nid oedd raid
I'r llechgi ddangos ei orchest a rhoddi naid

O'i gerbyd ar hytraws, megis mwnci-pen-pric,
Neu glyfryn mewn syrcas yn dangos sut i wneud tric,

A ninnau oll wedi dysgu ar hyd ein hoes
Fod Mei-lord yr Angau'n batrwm o urddas a moes.

Ond efallai fy mod, er hynny, yn gwneuthur cam
Ag ef yn ei fater. Pwy a all ddwedyd paham

Y daeth i benglog y Pen-dychrynwr ei hun
Chwarae cast â ni ar Nadolig Mab y Dyn?

Hwyrach nad cellwair, wedi'r cwbwl, yr oedd
Ei Ras, ond urddasoli'r ymweliad ar goedd.

Begio'i bardwn am amau'i fwriad fel hyn:
Fe'i gwelais wedyn yn dod i'w gyhoeddiad o'r glyn

Ar fore Sul, i gyrchu fy mam yn ei gôl, –
Ymollwng a wneuthum; rwy'n tynnu fy ngeiriau'n ôl.

T. H. PARRY WILLIAMS

CERDYN

Ers y Nadolig hwnnw
Y daeth y rheibiwr mawr
I ddiffodd y canhwyllau
A phylu gwrid y wawr,
Mae agor cerdyn câr neu ach
Yn agor mwy nag amlen fach.

Er dod ohonynt eto
O bedwar ban y byd,
Nid oes un brys i'w hagor
Fel cynt, yn gyffro i gyd.
Daeth un o'r India ac o Brâg –
Mae'r seld yn llawn, a'r tŷ yn wag.

EIRLYS DAVIES

CAROL PLYGAIN

Beudy di-nod
a'r rhew a'r ôd ar barwydydd,
dau mewn lludded
geisiai nodded un diwedydd;
esgorodd Mair
yno'n y gwair rhwng magwyrydd
ar Fab Gwyrthiol, –
dod â'r Dwyfol i Dre Dafydd.

Yr eira'n drwch
ar dawelwch hwyr y dolydd,
a'r gwynt atgas
â'i wrym a'i ias ar y meysydd;
taer yw'r broffes
ddaw o fynwes y Negesydd,
a golau cry'
yn ariannu nos wybrennydd.

Daw'r goludog
i anwydog fan annedwydd,
tua'r hofel
ar dri chamel, – tri ymwelydd
yno'n plygu,
ânt at Iesu eu Tywysydd
i'r fangre hon
i roi'u rhoddion cyn boreddydd.

Sêr-ddewiniaid
a bugeiliaid gyda'i gilydd
a'r Mab Bychan –
try eu gaea'n ha' tragywydd;

ninnau ganwn,
â llu unwn mewn llawenydd,
yn ein cyni,
daw i'n geni ni o'r newydd.

LLEW MORGAN

'ROEDD YN Y WLAD HONNO

'Roedd yn y wlad honno fugeiliaid yn gwylio
eu praidd rhag eu llarpio'r un lle;
daeth angel yr Arglwydd mewn didwyll fodd dedwydd
i draethu iddynt newydd o'r ne',
gan hyddysg gyhoeddi fod Crist wedi'i eni,
mawr ydyw daioni Duw Iôr;
bugeiliaid pan aethon' i Fethlem, dre' dirion
hwy gawson' Un cyfion mewn côr:
Mab Duw tragwyddoldeb yn gorwedd mewn preseb,
Tri'n undeb mewn purdeb heb ball,
cydganwn ogoniant yn felys ei foliant,
fe'n tynnodd o feddiant y fall.

Nac ofnwch, blant Seion, fe welir duwiolion
a'u gynau'n dra gwynion i gyd,
yn lân wedi'u cannu yng ngwerthfawr waed Iesu
er maint fu i'w baeddu'n y byd;
yn rhyddion o'u cystudd yn canmol eu Harglwydd
yn cario hardd balmwydd bob un
mewn teyrnas uwch daear, fel haul yn dra hawddgar,
heb garchar na galar na gwŷn:
a'r bachgen bach Iesu fydd testun y canu,
fu'n gwaedu i'n prynu ar y pren;
yn ffyddlon gantorion, o nifer plant Seion,
bôm ninnau'r un moddion, Amen.

SIÔN EBRILL

Y PLYGAIN

Yn ein newyn anniwall – awn i'r ŵyl
Garolau'n ddiddeall
I ddyheu, a'r weddi'n ddall,
Er mor hwyr, am wawr arall.

TÎM BRO LLEU

CALENNIG

Rhyw ddeuddydd cyn y Calan dros y sticil
'Rhen Bet bob blwyddyn oedd y cynta i ddod
A'n denu ninnau ati, er ein picil,
A'i llaw riwmatig, arw yn plymio i'w chod;
Gan smalio anwybodaeth, byddai'n holi
Ein hynt a'n helynt ni bob un, a'n hoed,
Cyn brysio'n sionc ei cham i'r tŷ i'n moli
A'i chwdyn dan ei ffedog fel erioed.

Nid cynt y caeai'r drws na chlywid brolio
A chyfarch gwell wrth dân y gegin fach;
Er na wnâi hynny i Mam roi mwy – na tholio
Yr aing o gaws na'r fflŵr yng ngenau'r sach.
Pan giliodd Bet i beidio â galw mwy,
Fe giliodd y gymdogaeth dda o'r plwy.

ALUN CILIE

CALENNIG I MI, CALENNIG I'R FFON

Calennig i mi, Calennig i'r ffon,
Calennig i'w fwyta'r noson hon;
Calennig i 'Nhad am glytio fy sgidiau,
Calennig i Mam am drwsio fy sanau.

Wel dyma'r Dydd Calan, O cofiwch y dydd,
A rhoddwch galennig o'ch calon yn rhydd;
Dydd cyntaf y flwyddyn, os rhoddwch yn hael,
Bydd bendith ar bob-dydd i chwithau'n ddi-ffael.

Calennig i'r meistr, Calennig i'r gwas;
Calennig i'r forwyn sy'n byw yn y plas;
Calennig i'r gŵr, Calennig i'r wraig;
Calennig o arian i bob ysgolhaig.

TRADDODIADOL

CÂN Y FARI LWYD

Wel, dyma ni'n dŵad, gyfeillion diniwad,
I ofyn am gennad i ganu;
Os na chawn ni gennad,
Rhowch gl'wad ar ganiad,
Pa fodd mae'r 'madawiad,
Nos heno.

TRADDODIADOL

PARTI NOS CALAN 2000
YN Y CLWB RYGBI

Mae'r holl blaned flinedig
heno i'w gweld mewn un gig,
drwy'r mwg yn troelli'i dramâu
direswm fel drwy'r oesau.
A'r bownser ar ei bensiwn
wrth y drws, Ianws yw hwn:
gŵr cul yr agor a'r cau,
â'i ddirnad yn ei ddyrnau.

Fan pella'r bar mae cri byw
'Oi! Leave it!' 'No!' 'I'll 'ave you!':
tri'n rhygnu nes troi'n rwgnach,
iaith tei-bo'n troi'n iaith tŷ bach.
Tri'n dadlau. Dau'n codi dwrn,
dyrnau seidir-nos-Sadwrn;
dyrnau a chariad arnynt
drosti hi yn ffustio'u hynt.

Ym mhair y ddawns y mae'r ddau
yn crasu at eu crysau,
yn feddw ddigyfaddawd,
yn bâr gwyllt o boer a gwawd.
Yna daw â'u breichiau dur
fyddin o dangnefeddwyr:
hwythau â'u 'It's not worth it!'
feddw gaib â'u 'Leave the git!'

Rhed dagrau cusanau sur
gyda'r gwaed ar y gwydyr:
dafnau hollt a fynn hollti
yn deilchion ei noson hi.

Yn nifa'r hwyr, mae'i ffrog frau'n
sidanwisg o gwestiynau
a fynn aros gan losgi
holl goed tân ei llygaid hi.

Mae tân y gusan a'r gad
ar ruddiau ein gwareiddiad:
dagrau'n cyndeidiau ydynt
a rhegfeydd yr ogof ŷnt.
Am iddo weld, gweld drwy'r gwaith,
ryfeloedd caru filwaith,
mae'r hen, hen fownser heno'n
gwneud dim, ond cael mwgyn 'to.

CERI WYN JONES

MYNEGAI I LINELLAU CYNTAF Y CERDDI

	tud.
A dyma ni eto ar drothwy'r hen ŵyl ledrithiol	5
A phwy yn y byd fyddai'n dewis bod yn frenin?	106
A welaist ti'r ddau a ddaeth gyda'r hwyr	54
Am dro, b'nawn 'Dolig, lan y Lôn Werdd,	75
Am oesau hir, yn llesg a gwan,	34
Anghofiwn am y byd a'i epil nychlyd	115
Ar gyfer heddiw'r bore	38
'Ar gyfer heddiw'r bore'n faban bach . . .'	21
Ar noson fel heno	86
Ar noswyl Nadolig mae cân yn fy mron	11
Â'r stryd yn rhes o drydan,	16
Awn i Fethlem, bawb dan ganu,	40
Be' 'di'r gola' dros y Llan?	73
Beudy di-nod	121
Boed gwres y tân amdanoch – a seren	85
Calennig i mi, Calennig i'r ffon,	126
Cefais gompiwter newydd,	114
Cenwch donc, cynheuwch dân,	79
Cleddwch yr ŵyl, nid yw ond ysgerbwd,	104
Clywch lu'r nef yn crochlefain;	12
Cofia'r gân, cofia'r geni, – cofia Dduw	37
Cofiwn am eni ein baban gwyn	52
Cyfaill plant ydyw Santa	99
Cynheuwch y lantarn, hogia',	69
Daethom yn anffyddlon,	19
Dangos imi nos dywylla'r nen	80
Defod, ar y Nadolig, yw fod	94
Deued eto fwyniant	97
Dileu'r sgrin. Gwagio'r *vino* – i waelod	10
Diolch i Ti, O Dad,	109
Doethion o'r Dwyrain yn gwmni bach cywrain	59
Down yn nes at y preseb – i weled	58
Dyma'r bore o lawenydd,	56
Ddoe symudodd salwch drosot fel cawod heli	87
Ddydd yr ŵyl fe ddisgwyli – anwesu	112
Er gwaetha'r byd, mae hi'n hen, hen stori:	22
Ers y Nadolig hwnnw	120
Ewch yn llawen, ewch â'ch doniau	41

tud.

Fe wawriodd dydd uwch Bethlem dref 39
Fel hyn roedd hi 'Methlehem: 13

Gwrandawed pob enaid ar gennad o'r llys 74

Henffych iti, faban sanctaidd, 46
Heno datgelwyd i minnau paham 24
Heno fe rown fel llynedd 103
Hi yw'r un sy ar grwydr unig 28

Liw nos, â'r carolau'n hen, fe wenaf 88

Mab a'n rhodded, 32
Mae gwlad y cardiau Nadolig mor dlws, 101
Mae Siôn Corn wedi marw, 113
Mae'n barti pen-blwydd ar Waredwr y byd 98
Mae'n gwawrio'n araf, a'r awel lem 25
Mae'n gwenu arnom 72
Mae'n Nadolig yn Nulyn, a'r sêr ar y stryd, 15
Mae'r holl blaned flinedig 128
Mae'r nos yn oer a du, 45
Mae'r stabal heddiw'n adfail 78
Ma'i 'run fath bob Nadolig; pam mai fi sy'n cael short straw? 92
Mewn beudy llwm eisteddai Mair 31
Mor ddieithr, coeliaf i, fuasai i Fair 30

Ni wyddom am ddim rhyfeddach, – Crëwr 1
Ni wyddwn fod y glo ar ben 116

O bedair gwlad yn y Dwyrain poeth 60
O ble doist ti, werinwr, 4
O dawel ddinas Bethlehem, 49
O deued pob Cristion i Fethlem yr awron 55
O gilio'r hen fugeiliaid 76
Oleuni nefol, tyrd i lawr 71

Pa beth yw'r sain 53
Pan ddôi hi'n ddydd Nadolig arnom gynt 84
Pan fo'n uchel y celyn – a Seren 65
Pwy sy'n dŵad dros y bryn 100
Pwy yw y rhain sy'n dod 63

'Roedd yn y wlad honno fugeiliaid yn gwylio 123
'Rôl crwydro o Narberth roedd Joseff am aur 91

	tud.
Rhaid cau y drysau heno'n dynn,	48
Rhagfyr drwy frigau'r coed	3
Rhagfyr gwewyr y gaeaf,	2
Rholyn o grêp rownd chwiban blastig,	90
Rhown foliant o'r mwyaf	36
Rhyw ddeuddydd cyn y Calan dros y sticil	125
Suai'r gwynt, suai'r gwynt	27
Tinsel ar y goeden,	83
Un hanesyn cyn nosi a garwn,	77
Wel, dyma ni'n dŵad, gyfeillion diniwad,	127
Wrth gwyro fy masg ar gyfer y Sul	96
Wyf heddiw yn rhyfeddu, wyf ar daith	108
'Wyt ti'n iawn, Mair?	26
Y bore hwn, drwy buraf hedd,	57
Y mae gwaith y Nadolig yn dechre	102
Y mae'n agos i chwarter canrif erbyn hyn	119
Y mae'r deffro hwnnw, yn dair,	82
Y nos cyn Nadolig nid oedd drwy y tŷ	7
Y rhain o'r dwyrain sy'n dod – i siarad	64
Yn dawel-olau yn y nos	50
Yn dinsel a pharseli	18
Yn ein newyn anniwall – awn i'r ŵyl	124
Yn nhawel wlad Jwdea dlos	42
Yn nyddiau'r Cesar a dwthwn cyfrif y deiliaid	35
Yn nythu yng nghalonnau pawb	44
Yr un dydd a fu'n hir yn dod – y llofft	89

**Ti, dim ond ti,
Dim ond ti i mi.**

Ar hyd y canrifoedd ceisiodd beirdd ddarganfod ffyrdd gwreiddiol a gwefreiddiol o ddatgan eu serch at eu cariadon, ac o fynegi eu tor-calon pan âi'r serch hwnnw'n sych. Yn y gyfrol unigryw hon o gerddi serch gorau a mwyaf poblogaidd Cymru, dyma gyfle i chi gwtsho a chusanu, dyheu a dwlu, difaru a galaru gyda rhai o feirdd enwocaf Cymru.

£5.95